Diogenes Taschenbuch 20099

GW00671565

Gottfried Benn

Ausgewählte Gedichte

Herausgegeben
und mit einem Nachwort
von Gerd Haffmans

Diogenes

Beim Anhören von Versen
Des todessüchtigen Benn
Habe ich auf Arbeitergesichtern einen Ausdruck gesehen
Der nicht dem Versbau galt und kostbarer war
Als das Lächeln der Mona Lisa.

Bertolt Brecht   1953

Die schönsten Verse des Menschen
– nun finden Sie schon einen Reim! –
sind die Gottfried Bennschen:
Hirn, lernäischer Leim –
Selbst in der Sowjetzone
Rosen, Rinde und Stamm.
Gleite, Epigone,
ins süße Benn-Engramm.

Peter Rühmkorf   1959

Inhalt

Kleine Aster

Ein ersoffener Bierfahrer wurde auf den Tisch gestemmt.
Irgendeiner hatte ihm eine dunkelhellila Aster
zwischen die Zähne geklemmt.
Als ich von der Brust aus
unter der Haut
mit einem langen Messer
Zunge und Gaumen herausschnitt,
muß ich sie angestoßen haben, denn sie glitt
in das nebenliegende Gehirn.
Ich packte sie ihm in die Brusthöhle
zwischen die Holzwolle,
als man zunähte.
Trinke dich satt in deiner Vase!
Ruhe sanft,
kleine Aster!

1912

Schöne Jugend

Der Mund eines Mädchens, das lange im Schilf gelegen hatte,
sah so angeknabbert aus.
Als man die Brust aufbrach, war die Speiseröhre so löcherig.
Schließlich in einer Laube unter dem Zwerchfell
fand man ein Nest von jungen Ratten.
Ein kleines Schwesterchen lag tot.
Die andern lebten von Leber und Niere,
tranken das kalte Blut und hatten
hier eine schöne Jugend verlebt.
Und schön und schnell kam auch ihr Tod:
Man warf sie allesamt ins Wasser.
Ach, wie die kleinen Schnauzen quietschten!

1912

Kreislauf

Der einsame Backzahn einer Dirne,
die unbekannt verstorben war,
trug eine Goldplombe.
Die übrigen waren wie auf stille Verabredung
ausgegangen.
Den schlug der Leichendiener sich heraus,
versetzte ihn und ging für tanzen.
Denn, sagte er,
nur Erde solle zur Erde werden.

1912

Mann und Frau gehn durch die Krebsbaracke

Der Mann:
Hier diese Reihe sind zerfallene Schöße
und diese Reihe ist zerfallene Brust.
Bett stinkt bei Bett. Die Schwestern wechseln stündlich.

Komm, hebe ruhig diese Decke auf.
Sieh, dieser Klumpen Fett und faule Säfte,
das war einst irgendeinem Mann groß
und hieß auch Rausch und Heimat.

Komm, sieh auf diese Narbe an der Brust.
Fühlst du den Rosenkranz von weichen Knoten?
Fühl ruhig hin. Das Fleisch ist weich und schmerzt nicht.

Hier diese blutet wie aus dreißig Leibern.
Kein Mensch hat so viel Blut.
Hier dieser schnitt man
erst noch ein Kind aus dem verkrebsten Schoß.

Man läßt sie schlafen. Tag und Nacht. – Den Neuen
sagt man: hier schläft man sich gesund. – Nur sonntags
für den Besuch läßt man sie etwas wacher.

Nahrung wird wenig noch verzehrt. Die Rücken
sind wund. Du siehst die Fliegen. Manchmal
wäscht sie die Schwester. Wie man Bänke wäscht.

Hier schwillt der Acker schon um jedes Bett.
Fleisch ebnet sich zu Land. Glut gibt sich fort.
Saft schickt sich an zu rinnen. Erde ruft.

1912

Nachtcafé

824: Der Frauen Liebe und Leben.
Das Cello trinkt rasch mal. Die Flöte
rülpst tief drei Takte lang: das schöne Abendbrot.
Die Trommel liest den Kriminalroman zu Ende.

Grüne Zähne, Pickel im Gesicht
winkt einer Lidrandentzündung.

Fett im Haar
spricht zu offenem Mund mit Rachenmandel
Glaube Liebe Hoffnung um den Hals.

Junger Kropf ist Sattelnase gut.
Er bezahlt für sie drei Biere.

Bartflechte kauft Nelken,
Doppelkinn zu erweichen.

B-moll: die 35. Sonate.
Zwei Augen brüllen auf:
Spritzt nicht das Blut von Chopin in den Saal,
damit das Pack drauf rumlatscht!
Schluß! He, Gigi! –

Die Tür fließt hin: Ein Weib.
Wüste ausgedörrt. Kanaanitisch braun.
Keusch. Höhlenreich. Ein Duft kommt mit.
                              Kaum Duft.
Es ist nur eine süße Vorwölbung der Luft
gegen mein Gehirn.

Eine Fettleibigkeit trippelt hinterher.

1912

Kasino

Menge war schon auf Kriegsschule ein Idiot.
Jetzt hat er eine Brigade in Päde-Rastenburg.
Päde-Rastenburg!!! Ha, ha, ha. –

Morgens Kaffee im Bett ist wunderschön.
                Gräßlich. Wunderschön.
Ganz geteilte Auffassungen. –

»Sie Junker, fahren Sie mich hottehüh.
Ich sitze so schön in meinem Sessel
und möchte mal gern auf die Retirade –«
Gesprächsabbrüche. Stille vorm Sturm:
Mensch, Arnim, Sie sind ganz unerschöpflich! –

Sind Sie schon mal dritter Klasse gefahren?
Ne, Sie? Muß mächtig intressant sein.
So ganz kleene Bänke sollen da drinstehn. –

Eine Kugel muß man sich im Kriege immer noch aufsparen:
fürn Stabsarzt, wenn er einen verpflastern will.
Na Prost, Onkel Doktor! –

Vorläufig bin ich ja noch rüstig.
Aber wenn ich mich mal auf Abbruch verheirate:
Brüste muß sie jedenfalls haben,
daß man Wanzen drauf knacken kann!–

Kinder! Heut nacht! Ein Blutweib! Sagt:
Arm kann er sein und dumm kann er sein;
aber jung und frisch gebadet.
Darauf ich: janz Ihrer Meinung, Gnädigste,
lieber etwas weniger Moral
und etwas äußere Oberschenkel.
Auf dieser Basis fanden wir uns.

Was für Figuren habt ihr denn auf dieser Basis aufgebaut??

Lachen einigt alles. –

                                        1912

Drohung

Aber wisse:
Ich lebe Tiertage. Ich bin eine Wasserstunde.
Des Abends schläfert mein Lid wie Wald und Himmel.
Meine Liebe weiß nur wenig Worte:
Es ist so schön an deinem Blut.

1913

Gesänge

I

O daß wir unsere Ururahnen wären.
Ein Klümpchen Schleim in einem warmen Moor.
Leben und Tod, Befruchten und Gebären
glitte aus unseren stummen Säften vor.

Ein Algenblatt oder ein Dünenhügel,
vom Wind Geformtes und nach unten schwer.
Schon ein Libellenkopf, ein Möwenflügel
wäre zu weit und litte schon zu sehr.

II

Verächtlich sind die Liebenden, die Spötter,
alles Verzweifeln, Sehnsucht, und wer hofft.
Wir sind so schmerzliche durchseuchte Götter
und dennoch denken wir des Gottes oft.

Die weiche Bucht. Die dunklen Wälderträume.
Die Sterne, schneeballblütengroß und schwer.
Die Panther springen lautlos durch die Bäume.
Alles ist Ufer. Ewig ruft das Meer –

1913

Durchs Erlenholz kam sie
entlang gestrichen – – – –

die Schnepfe nämlich – erzählte der Pfarrer –:
Da traten kahle Äste gegen die Luft: ehern.
Ein Himmel blaute: unbedenkbar. Die Schulter
                          mit der Büchse,
des Pfarrers Spannung, der kleine Hund,
selbst Treiber, die dem Herrn die Freude gönnten:
Unerschütterlich.
Dann weltumgoldet: der Schuß:
Einbeziehung vieler Vorgänge,
Erwägen von Möglichkeiten,
Bedenkung physikalischer Verhältnisse,
einschließlich Parabel und Geschoßgarbe,
Luftdichte, Barometerstand, Isobaren – –
aber durch alles hindurch: die Sicherstellung,
die Ausschaltung des Fraglichen,
die Zusammenraffung,
eine Pranke in den Nacken der Erkenntnis,
blutüberströmt zuckt ihr Plunder
unter dem Begriff: Schnepfenjagd.
Da verschied Kopernikus. Kein Newton mehr.
                  Kein drittes Wärmegesetz –
eine kleine Stadt dämmert auf: Kellergeruch:
                      Konditorjungen,
Bedürfnisanstalt mit Wartefrau,
das Handtuch über den Sitz wischend
zum Zweck der öffentlichen Gesundheitspflege;
ein Büro, ein junger Registrator
mit Ärmelschutz, mit Frühstücksbrötchen
den Brief der Patentante lesend.

1916

Ball

Ball. Hurenkreuzzug. Syphilisquadrille.
Eiert die Hirne ab, die Sackluden!
Mit diesen meinen Zähnen: zerrissen, zerbissen
Hundebregen, Männer-, Groß- und Kleinhirne:
selbst ihre Syntax klappert nach der Scheide.

Mich bauern Dorfglücke an: Kausaltriebe,
Ölzweige, stetige Koordinaten –:
Heran zu mir, ihr Heerschar der Verfluchten,
schakalt mir nach den eingegrabenen Samen:
Entlockung! Schleuderhonig! Keimverderb!

Ihr Stallverrecken, Misthaufen-Augenbruch,
verweste Blasen, Veilchenfrau-Verhungern,
ihr brandiges Geblüte – Kanalfischer,
heringsfängert ans Land
die Hodenquallen!

Finale! Huren! Grünspan der Gestirne!
Verkäst die Herrn! Speit Beulen in die Knochen!
Rast, salometert bleiche Täuferstirnen!

1917

Der Arzt

I

Mir klebt die süße Leiblichkeit
wie ein Belag am Gaumensaum.
Was je an Saft und mürbem Fleisch
um Kalkknochen schlotterte,
dünstet mit Milch und Schweiß in meine Nase.
Ich weiß, wie Huren und Madonnen riechen
nach einem Gang und morgens beim Erwachen
und zu Gezeiten ihres Bluts –
und Herren kommen in mein Sprechzimmer,
denen ist das Geschlecht zugewachsen:
die Frau denkt, sie wird befruchtet
und aufgeworfen zu einem Gotteshügel;
aber der Mann ist vernarbt,
sein Gehirn wildert über einer Nebelsteppe,
und lautlos fällt sein Samen ein.
Ich lebe vor dem Leib: und in der Mitte
klebt überall die Scham. Dahin wittert
der Schädel auch. Ich ahne: einst
werden die Spalte und der Stoß
zum Himmel klaffen von der Stirn.

Die Krone der Schöpfung, das Schwein, der Mensch –:
geht doch mit anderen Tieren um!
Mit siebzehn Jahren Filzläuse,
zwischen üblen Schnauzen hin und her,
Darmkrankheiten und Alimente,
Weiber und Infusorien,
mit vierzig fängt die Blase an zu laufen –:
meint ihr, um solch Geknolle wuchs die Erde
von Sonne bis zum Mond –? Was kläfft ihr denn?
Ihr sprecht von Seele – Was ist eure Seele?
Verkackt die Greisin Nacht für Nacht ihr Bett –
schmiert sich der Greis die mürben Schenkel zu,
und ihr reicht Fraß, es in den Darm zu lümmeln,
meint ihr, die Sterne samten ab vor Glück . . .?
Äh! – Aus erkaltendem Gedärm
spie Erde wie aus anderen Löchern Feuer,
eine Schnauze Blut empor –:
das torkelt
den Abwärtsbogen
selbstgefällig in den Schatten.

III

Mit Pickeln in der Haut und faulen Zähnen
paart sich das in ein Bett und drängt zusammen
und säet Samen in des Fleisches Furchen
und fühlt sich Gott bei Göttin. Und die Frucht –:
das wird sehr häufig schon verquiemt geboren:
mit Beuteln auf dem Rücken, Rachenspalten,
schieläugig, hodenlos, in breite Brüche
entschlüpft die Därme –; aber selbst was heil
endlich ans Licht quillt, ist nicht eben viel,
und durch die Löcher tropft die Erde:
Spaziergang –: Föten, Gattungspack –:
ergangen wird sich. Hingesetzt.
Finger wird berochen.
Rosine aus dem Zahn geholt.
Die Goldfischchen – !!! – !
Erhebung! Aufstieg! Weserlied!
Das Allgemeine wird gestreift. Gott
als Käseglocke auf die Scham gestülpt –:
der gute Hirte – !! – – Allgemeingefühl! –
Und abends springt der Bock die Zibbe an.

1917

Tripper

Blut, myrtengrüner Eiter,
das ist kein Bräutigamsurin,
die Luft ist klar und heiter
von Staatsbenzin.

Familienglück: der Rammelalte,
der Schweißfuß und das Spülklosett –
hier tröpfelt die geschwollne Falte
das Flirt-Minette.

Die Götter wehn, die Kosmen knacken,
der Dotter fault, es hebt sich ab
der Lust-Lenin in Eisschabracken –
Polar-Satrap.

1922

Pastorensohn

Von Senkern aus dem Patronat,
aus Grafenblasen, Diadochen
beschiffte Windeln um die Knochen
beflaggte noch vom Darmsalat.

Der Alte pumpt die Dörfer rum
und klappert die Kollektenmappe,
verehrtes Konsistorium,
Fruchtwasser, neunte Kaulquappe.

Der Alte ist im Winter grün
wie Mistel und im Sommer Hecken,
lobsingt dem Herrn und preiset ihn
und hat schon wieder Frucht am Stecken.

In Gottes Namen denn, mein Sohn,
ein feste Burg und Stipendiate,
Herr Schneider Kunz vom Kirchenrate
gewährt dir eine Freiportion.

In Gottes Namen denn, habt acht,
bei Mutters Krebs die Dunstverbände
woher –? Befiehl du deine Hände –
zwölf Kinder heulen durch die Nacht.

Der Alte ist im Winter grün
wie Mistel und im Sommer Hecke,
'ne neue Rippe und sie brühn
schon wieder in die Betten Flecke.

Verfluchter alter Abraham,
zwölf schwere Plagen Isaake
haun dir mit einer Nudelhacke
den alten Zeugeschwengel lahm.

Von wegen Land und Lilientum
Brecheisen durch die Gottesflabbe –
verehrtes Konsistorium,
Gut Beil, die neunte Kaulquappe!

1922

Prolog zu einem
deutschen Dichterwettstreit

Verlauste Schieber, Rixdorf, Lichtenrade,
sind Göttersöhne und ins Licht gebeugt,
Freibier für Luden und Spionfassade –
der warme Tag ist's, der die Natter zeugt:
Am Tauentzien und dann die Prunkparade
der Villenwälder, wo die Chuzpe seucht:
Fortschritt, Zylinderglanz und Westenweiße
des Bürgermastdarms und der Bauchgeschmeiße.

Jungdeutschland, hoch die Aufbauschiebefahne!
Refrains per Saldo! Zeitstrom, jeder Preis!
Der Genius und die sterblichen Organe
vereint beschmunzeln ihm den fetten Steiß.
Los, gebt ihm Lustmord, Sodomitensahne
und schäkert ihm den Blasenausgang heiß
und singt dem Aasgestrüpp und Hurentorte:
Empor! (zu Kaviar) Sursum! (zur Importe).

Vergeßt auch nicht die vielbesungene Fose
mit leichter Venerologie bedeckt,
bei Gasglühlicht und Saint-Lazare die Pose
das kitzelt ihn; Gott, wie der Chablis schmeckt.
Und amüsiert das Vieh und Frau Mimose
will auch was haben, was ein bißchen neckt –
Gott, gebt ihr doch, Gott, steckt ihr doch ein Licht
in die – ein Licht des Geistes ins Gesicht.

Die Massenjauche in den Massenkuhlen
die stinkt nicht mehr, die ist schon fortgetaut.
Die Börsenbullen und die Bänkeljulen,
die haben Deutschland wieder aufgebaut.
Der Jobber und die liederreichen Thulen,
zwei Ferkel, aus demselben Stall gesaut –
Streik? Doofe Bande! Eignes Licht im Haus!
Wer fixt per Saldo kessen Schlager raus?

Avant! Die Hosen runter, smarte Geister,
an Spree und Jordan großer Samenfang!
Und dann das Onanat mit Demos-Kleister
versalbt zu flottem Nebbich mit Gesang.
Hoch der Familientisch! Und mixt auch dreister
den ganzen süßen Westen mitten mang –
Und aller Fluch der ganzen Kreatur
gequälten Seins in eure Appretur.

1922

Banane

Banane, yes, Banane:
Vie méditerranée,
Bartwichse, Lappentrane:
Vie Pol, Sargassosee:
Dreck, Hündinnen, Schakale
Geschlechtstrieb im Gesicht
und aasblau das Finale –
der Bagno läßt uns nicht.

Die großen Götter Panne,
defekt der Mythenflor,
die Machmeds und Johanne
speicheln aus Eignem vor,
der alten Samenbarden
Begattungsclownerie,
das Sago der Milliarden,
der Nil von Hedonie.

Nachts wahllos zwischen Horden
verschluckt der Zeugungsakt,
Gestirne? wo? geworden!
gewuchert! fleischlich Fakt!
Gestirne? wo? im Schweigen
eines Wechsels von Fernher –
Zyklen, Kreisen der Reigen,
Bedürfniswiederkehr.

Sinnlose Existenzen:
dreißig Millionen die Pest,
und die andern Pestilenzen
lecken am Rest,
Hochdruck! unter die Brause!
in Pferdemist und Spelt
beerdige zu Hause –
das ist das Antlitz der Welt!

Hauch von Schaufeln und Feuer
ist die Blume des Weins,
Hungerratten und Geier
sind die Lilien des Seins,
Erde birst sich zu Kreuzen,
Flußbett und Meere fällt,
sinnlose Phallen schneuzen
sich ins Antlitz der Welt.

Ewig endlose Züge
vor dem sinkenden Blick,
weite Wogen, Flüge –
wohin – zurück
in die dämmernden Rufe,
an den Schierling: Vollbracht,
umflorte Stufe
zur Urne der Nacht.

1925

Stadtarzt

Stadtarzt, Muskelpresse,
schaffensfroher Hort,
auch Hygienemesse
großes Aufbauwort,
wunderbare Waltung,
was der Hochtrieb schuf,
täglich Ausgestaltung,
Schwerpunkt im Beruf.

Normung selbst der Gase,
amtlich deputiert,
ob die Säuglingsblase
luftdicht funktioniert,
vorne Prophylaxe,
hinten Testogan,
und die Mittelachse
schraubt sich himmelan.

Zuchttyp: Faustkaliber,
strebend Buhnen baun,
Pol- und Packeisschieber,
Luftverdrängungsclown,
Rundfunk und Refraktor,
Wort verkommne Zahl,
Wort als Ausdrucksfaktor
gänzlich anomal.

Wunderbares Walten,
dort der Affensteiß,
hier der Hochgestalten
Licht- und Höhenreiß,
und als Edelmesse,
Gottes Gnadensproß,
züchtet Muskelpresse
Pithekanthropos.

1925

Fürst Kraft

Fürst Kraft ist – liest man – gestorben.
Latifundien weit,
ererbte, hat er erworben,
eine Nachrufpersönlichkeit:
»übte unerschrocken Kontrolle,
ob jeder rechtens tat,
Aktiengesellschaft Wolle,
Aufsichtsrat.«

So starb er in den Sielen.
Doch wandt' er in Stunde der Ruh
höchsten sportlichen Zielen
sein Interesse zu;
immer wird man ihn nennen,
den delikaten Greis,
Schöpfer des Stutenrennen:
Kiscazonypreis.

Und niemals müde zu reisen!
Genug ist nicht genug!
Oft hörte man ihn preisen
den Rast-ich-so-rost-ich-Zug,
er stieg mit festen Schritten
in seinen Sleeping-car
und schon war er inmitten
von Rom und Sansibar.

So schuf er für das Ganze
und hat noch hochbetagt
im Bergrevier der Tatra
die flinke Gemse gejagt,
drum ruft ihm über die Bahre
neben der Industrie
alles Schöne, Gute, Wahre
ein letztes Halali.

1926

Annonce

»Villa in Baden-Baden,
schloßartig, Wasserlauf
im Garten, Balustraden
vermietbar oder Kauf« –
das ist wohl so zu lesen,
von Waldessaum begrenzt,
mit Fernblick und Vogesen
und wo die Oos erglänzt.

Nun mag wohl ein Tiroler
von Burg und Martinswand
erwägen, ob ihm wohler
im wellig heitern Land
oder aus andern Kreisen,
wo Herz und Sinne weit
das Schöne offen preisen
und frohe Gastlichkeit.

Zum Beispiel Sommerstunde:
geöffnet der Salon,
berauscht die Rosenrunde
vom Klang des Steinway son,
das Lied, das Lied hat Flügel,
wie's durch den Garten zieht,
wo man vom Flaggenhügel
die Handelskammer sieht.

Oder wie seelisch offen,
wie strömt man hin so frei:
»der Mann dort in Pantoffeln,
der Gärtner zieht im Mai,
er will schon wieder gehen,
und eh man dann was fand,
man gibt die Orchideen
nicht gern von Hand zu Hand.«

So nicht nur Ehrenrunden
und Oberflächlichkeit,
es führt zu innern Stunden,
Leid und Vergänglichkeit
und hält Gesundheitsschaden
für die Familie auf
die Villa Baden-Baden,
schloßartig, Wasserlauf.

1926

Qui Sait

Aber der Mensch wird trauern –
solange Gott, falls es das gibt,
immer neue Schauern
von Gehirnen schiebt
von den Hellesponten
zum Hobokenquai,
immer neue Fronten –
wozu, qui sait?

Spurii: die Gesäten
war einst der Männer Los,
Frauen streiften und mähten
den Samen in ihren Schoß;
dann eine Insel voll Tauben
und Werften: Schiffe fürs Meer,
und so begann der Glauben
an Handel und Verkehr.

Aber der Mensch wird trauern –
Masse, muskelstark,
Cowboy und Zentauern,
Nurmi als Jeanne d'Arc –:
Stadionsakrale
mit Khasanaspray,
Züchtungspastorale,
wozu, qui sait?

Aber der Mensch wird trauern –
kosmopoler Chic
neue Tempelmauern
Kraftwerk Pazifik:
die Meere ausgeweidet,
Kalorien-Avalun:
Meer, das wärmt, Meer, das kleidet –
neue Mythe des Neptun.

Bis nach tausend Jahren
einbricht in das Wrack
Geißlerscharen,
zementiertes Pack
mit Orang-Utanhauern
oder Kaiser Henry Clay –
wer wird das überdauern,
welch Pack – qui sait?

1927

Jena

»Jena vor uns im lieblichen Tale«
schrieb meine Mutter von einer Tour
auf einer Karte vom Ufer der Saale,
sie war in Kösen im Sommer zur Kur;
nun längst vergessen, erloschen die Ahne,
selbst ihre Handschrift, Graphologie,
Jahre des Werdens, Jahre der Wahne,
nur diese Worte vergesse ich nie.

Es war kein berühmtes Bild, keine Klasse,
für lieblich sah man wenig blühn,
schlechtes Papier, keine holzfreie Masse,
auch waren die Berge nicht rebengrün,
doch kam man vom Lande, von kleinen Hütten,
so waren die Täler wohl lieblich und schön,
man brauchte nicht Farbdruck, man brauchte nicht Bütten,
man glaubte, auch andere würden es sehn.

Es war wohl ein Wort von hoher Warte,
ein Ausruf hatte die Hand geführt,
sie bat den Kellner um eine Karte,
so hatte die Landschaft sie berührt,
und doch – wie oben – erlosch die Ahne
und das gilt allen und auch für den,
die – Jahre des Werdens, Jahre der Wahne –
heute die Stadt im Tale sehn.

1926

Sieh die Sterne, die Fänge

Sieh die Sterne, die Fänge
Lichts und Himmel und Meer,
welche Hirtengesänge,
dämmernde, treiben sie her,
du auch, die Stimmen gerufen
und deinen Kreis durchdacht,
folge die schweigenden Stufen
abwärts dem Boten der Nacht.

Wenn du die Mythen und Worte
entleert hast, sollst du gehn,
eine neue Götterkohorte
wirst du nicht mehr sehn,
nicht ihre Euphratthrone,
nicht ihre Schrift und Wand –
gieße, Myrmidone,
den dunklen Wein ins Land.

Wie dann die Stunden auch hießen,
Qual und Tränen des Seins,
alles blüht im Verfließen
dieses nächtigen Weins,
schweigend strömt die Äone,
kaum noch von Ufern ein Stück –
gib nun dem Boten die Krone,
Traum und Götter zurück.

1927

Lied
aus dem Oratorium ›Das Unaufhörliche‹

Lebe wohl den frühen Tagen,
die mit Sommer, stillem Land
angefüllt und glücklich lagen
in des Kindes Träumerhand.
Lebe wohl, du großes Werde,
über Feldern, See und Haus,
in Gewittern brach die Erde
zu gerechtem Walten aus.
Lebe wohl, was je an Ahnen
mich aus solchem Sein gezeugt,
das sich noch den Sonnenbahnen,
das sich noch der Nacht gebeugt.
Von dem Frühen zu dem Späten,
und die Bilder sinken ab –
lebe wohl, aus großen Städten
ohne Traum und ohne Grab.

1931

Choral

Was sagt ihr zu dem Wogen der Geschichte:
erst Wein, dann Blut: das Nibelungenmahl,
Mahle und Morde, Räusche und Gerichte,
Rosen und Ranken schlingen noch den Saal.

Was sagt ihr zu den Heeren, ihren Zügen,
die Merowinger enden und Pipin
läßt ihrem Letzten einen Hof zum Pflügen
und ein Spann Ochsen, die den Karren ziehn.

Die Götter enden mit in solchen Wellen,
mit Fell und Panthern klappert noch ein Fest,
die Herzen plärren, nur die Pardel schwellen:
Vieh für die Götter ist des Glaubens Rest.

Mit Brand und Seuchen schwängert sich das Werden,
am Maul, das Kronen frißt und Reiche schält,
verfallne Lande, hirtenlose Herden
von Kuh und Stuten, die das Euter quält.

Was sagt ihr zu dem Wogen der Geschichte,
ist wo ein Reich, das nicht zum Abgrund kreist,
wo ein Geschlecht in ewig gleichem Lichte,
nun gar der Mensch, sein armer Geist –:

Der Geist muß wohl in allem rauschen,
da jeder einzelne so schnell dahin
und auch so spurlos endet, nur ein Tauschen
von Angesicht und Worten scheint sein Sinn.

1933

Wer allein ist –

Wer allein ist, ist auch im Geheimnis,
immer steht er in der Bilder Flut,
ihrer Zeugung, ihrer Keimnis,
selbst die Schatten tragen ihre Glut.

Trächtig ist er jeder Schichtung
denkerisch erfüllt und aufgespart,
mächtig ist er der Vernichtung
allem Menschlichen, das nährt und paart.

Ohne Rührung sieht er, wie die Erde
eine andere ward, als ihm begann,
nicht mehr Stirb und nicht mehr Werde:
formstill sieht ihn die Vollendung an.

1936

Spät im Jahre –

Spät im Jahre, tief im Schweigen
dem, der ganz sich selbst gehört,
werden Blicke niedersteigen,
neue Blicke, unzerstört.

Keiner trug an deinen Losen,
keiner frug, ob es gerät –
Saum von Wunden, Saum von Rosen –
weite Blicke, sommerspät.

Dich verstreut und dich gebunden,
dich verhüllt und dich entblößt –
Saum von Rosen, Saum von Wunden –
letzte Blicke, selbsterlöst.

1936

Anemone

Erschütterer –: Anemone,
die Erde ist kalt, ist nichts,
da murmelt deine Krone
ein Wort des Glaubens, des Lichts.

Der Erde ohne Güte,
der nur die Macht gerät,
ward deine leise Blüte
so schweigend hingesät.

Erschütterer –: Anemone,
du trägst den Glauben, das Licht,
den einst der Sommer als Krone
aus großen Blüten flicht.

1936

Einsamer nie –

Einsamer nie als im August:
Erfüllungsstunde – im Gelände
die roten und die goldenen Brände,
doch wo ist deiner Gärten Lust?

Die Seen hell, die Himmel weich,
die Äcker rein und glänzen leise,
doch wo sind Sieg und Siegsbeweise
aus dem von dir vertretenen Reich?

Wo alles sich durch Glück beweist
und tauscht den Blick und tauscht die Ringe
im Weingeruch, im Rausch der Dinge –:
dienst du dem Gegenglück, dem Geist.

1936

Astern

Astern – schwälende Tage,
alte Beschwörung, Bann,
die Götter halten die Waage
eine zögernde Stunde an.

Noch einmal die goldenen Herden
der Himmel, das Licht, der Flor,
was brütet das alte Werden
unter den sterbenden Flügeln vor?

Noch einmal das Ersehnte,
den Rausch, der Rosen Du –
der Sommer stand und lehnte
und sah den Schwalben zu,

noch einmal ein Vermuten,
wo längst Gewißheit wacht:
die Schwalben streifen die Fluten
und trinken Fahrt und Nacht.

1936

Turin

»Ich laufe auf zerrissenen Sohlen«,
schrieb dieses große Weltgenie
in seinem letzten Brief – dann holen
sie ihn nach Jena – Psychiatrie.

Ich kann mir keine Bücher kaufen,
ich sitze in den Librairien:
Notizen – dann nach Aufschnitt laufen:–
das sind die Tage von Turin.

Indes Europas Edelfäule
an Pau, Bayreuth und Epsom sog,
umarmte er zwei Droschkengäule,
bis ihn sein Wirt nach Hause zog.

1936

Verlorenes Ich

Verlorenes Ich, zersprengt von Stratosphären,
Opfer des Ion –: Gamma-Strahlen-Lamm –
Teilchen und Feld –: Unendlichkeitschimären
auf deinem grauen Stein von Notre-Dame.

Die Tage gehn dir ohne Nacht und Morgen,
die Jahre halten ohne Schnee und Frucht
bedrohend das Unendliche verborgen –
die Welt als Flucht.

Wo endest du, wo lagerst du, wo breiten
sich deine Sphären an – Verlust, Gewinn –:
ein Spiel von Bestien: Ewigkeiten,
an ihren Gittern fliehst du hin.

Der Bestienblick: die Sterne als Kaldaunen,
der Dschungeltod als Seins- und Schöpfungsgrund,
Mensch, Völkerschlachten, Katalaunen
hinab den Bestienschlund.

Die Welt zerdacht. Und Raum und Zeiten
und was die Menschheit wob und wog,
Funktion nur von Unendlichkeiten –
die Mythe log.

Woher, wohin – nicht Nacht, nicht Morgen,
kein Evoë, kein Requiem,
du möchtest dir ein Stichwort borgen –
allein bei wem?

Ach, als sich alle einer Mitte neigten
und auch die Denker nur den Gott gedacht,
sie sich den Hirten und dem Lamm verzweigten,
wenn aus dem Kelch das Blut sie rein gemacht,

und alle rannen aus der einen Wunde,
brachen das Brot, das jeglicher genoß –
o ferne zwingende erfüllte Stunde,
die einst auch das verlorne Ich umschloß.

1943

Monolog

Den Darm mit Rotz genährt, das Hirn mit Lügen –
erwählte Völker Narren eines Clowns,
in Späße, Sternelesen, Vogelzug
den eigenen Unrat deutend! Sklaven –
aus kalten Ländern und aus glühenden,
immer mehr Sklaven, ungezieferschwere,
hungernde, peitschenüberschwungene Haufen:
dann schwillt das Eigene an, der eigene Flaum,
der grindige, zum Barte des Propheten!

Ach, Alexander und Olympias Sproß
das wenigste! Sie zwinkern Hellesponte
und schäumen Asien! Aufgetriebenes, Blasen
mit Vorhut, Günstlingen, verdeckten Staffeln,
daß keiner sticht! Günstlinge: – gute Plätze
für Ring- und Rechtsgeschehn! Wenn keiner sticht!
Günstlinge, Lustvolk, Binden, breite Bänder –
mit breiten Bändern flattert Traum und Welt:
Klumpfüße sehn die Stadien zerstört.
Stinktiere treten die Lupinenfelder,
weil sie der Duft am eigenen irremacht:
nur Stoff vom After! – Fette
verfolgen die Gazelle,
die windeseilige, das schöne Tier!
Hier kehrt das Maß sich um:
die Pfütze prüft den Quell, der Wurm die Elle,
die Kröte spritzt dem Veilchen in den Mund

–Halleluja! – und wetzt den Bauch im Kies:
die Paddentrift als Mahnmal der Geschichte!
Die Ptolemäerspur als Gaunerzinke,
die Ratte kommt als Labsal gegen Pest.
Meuchel besingt den Mord. Spitzel locken
aus Psalmen Unzucht.

Und diese Erde lispelt mit dem Mond,
dann schürzt sie sich ein Maifest um die Hüfte,
dann läßt sie Rosen durch, dann schmort sie Korn,
läßt den Vesuv nicht spein, läßt nicht die Wolke
zu Lauge werden, die der Tiere Abart,
die dies erlistet, sticht und niederbrennt –
ach, dieser Erde Frucht- und Rosenspiel
ist heimgestellt der Wucherung des Bösen,
der Hirne Schwamm, der Kehle Lügensprenkeln
der obgenannten Art – die maßverkehrte!

Sterben heißt, dies alles ungelöst verlassen,
die Bilder ungesichert, die Träume
im Riß der Welten stehn und hungern lassen –
doch Handeln heißt, die Niedrigkeit bedienen,
der Schande Hilfe leihn, die Einsamkeit,
die große Lösung der Gesichte,
das Traumverlangen hinterhältig fällen
für Vorteil, Schmuck, Beförderungen, Nachruf,
indes das Ende, taumelnd wie ein Falter,
gleichgültig wie ein Sprengstück nahe ist
und anderen Sinn verkündet –

– Ein Klang, ein Bogen, fast ein Sprung aus Bläue
stieß eines Abends durch den Park hervor,
darin ich stand –: ein Lied,
ein Abriß nur, drei hingeworfene Noten
und füllte so den Raum und lud so sehr
die Nacht, den Garten mit Erscheinungen voll
und schuf die Welt und bettete den Nacken
mir in das Strömende, die trauervolle
erhabene Schwäche der Geburt des Seins –:
ein Klang, ein Bogen nur –: Geburt des Seins –
ein Bogen nur und trug das Maß zurück,
und alles schloß es ein: die Tat, die Träume . . .

Aus einem Kranz scharlachener Gehirne,
des Blüten der verstreuten Fiebersaat
sich einzeln halten, nur einander:
»unbeugsam in der Farbe« und »ausgezähnt
am Saum das letzte Haar«, »gefeilt in Kälte«
zurufen, gesalzene Laken des Urstoffs:
hier geht Verwandlung aus! Der Tiere Abart
wird faulen, daß für sie das Wort Verwesung
zu sehr nach Himmeln riecht – schon streichen
die Geier an, die Falken hungern schon –!

1943

Chopin

Nicht sehr ergiebig im Gespräch,
Ansichten waren nicht seine Stärke,
Ansichten reden drum herum,
wenn Delacroix Theorien entwickelte,
wurde er unruhig, er seinerseits konnte
die Notturnos nicht begründen.

Schwacher Liebhaber;
Schatten in Nohant,
wo George Sands Kinder
keine erzieherischen Ratschläge
von ihm annahmen.

Brustkrank in jener Form
mit Blutungen und Narbenbildung,
die sich lange hinzieht;
stiller Tod
im Gegensatz zu einem
mit Schmerzparoxysmen
oder durch Gewehrsalven:
man rückte den Flügel (Erard) an die Tür
und Delphine Potocka
sang ihm in der letzten Stunde
ein Veilchenlied.

Nach England reiste er mit drei Flügeln:
Pleyel, Erard, Broadwood,
spielte für zwanzig Guineen abends
eine Viertelstunde
bei Rothschilds, Wellingtons, im Strafford House
und vor zahllosen Hosenbändern;
verdunkelt von Müdigkeit und Todesnähe
kehrte er heim
auf den Square d'Orléans.

Dann verbrennt er seine Skizzen
und Manuskripte,
nur keine Restbestände, Fragmente, Notizen,
diese verräterischen Einblicke –
sagte zum Schluß:
»Meine Versuche sind nach Maßgabe dessen vollendet,
was mir zu erreichen möglich war.«

Spielen sollte jeder Finger
mit der seinem Bau entsprechenden Kraft,
der vierte ist der schwächste
(nur siamesisch zum Mittelfinger).
Wenn er begann, lagen sie
auf e, fis, gis, h, c.

Wer je bestimmte Präludien
von ihm hörte,
sei es in Landhäusern oder
in einem Höhengelände
oder aus offenen Terrassentüren
beispielsweise aus einem Sanatorium,
wird es schwer vergessen.

Nie eine Oper komponiert,
keine Symphonie,
nur diese tragischen Progressionen
aus artistischer Überzeugung
und mit einer kleinen Hand.

1948

St. Petersburg –
Mitte des Jahrhunderts

» Jeder, der einem anderen hilft,
ist Gethsemane,
jeder, der einen anderen tröstet,
ist Christi Mund«,
singt die Kathedrale des heiligen Isaak,
das Alexander-Newsky-Kloster,
die Kirche des heiligen Peter und Paul,
in der die Kaiser ruhn,
sowie die übrigen hundertzweiundneunzig griechischen,
acht römisch-katholischen,
eine anglikanische, drei armenische,
lettische, schwedische, estnische,
finnische Kapellen.

Wasserweihe
der durchsichtigen blauen Newa
am Dreikönigstag.
Sehr gesundes Wasser, führt die fremden Stoffe ab.
Trägt die herrlichen Schätze heran
für das Perlmutterzimmer,
das Bernsteinzimmer
von Zarskoje Selo
in den Duderhoffschen Bergen,
den himmelblauen sibirischen Marmor
für die Freitreppen.
Kanonensalven
wenn sie auftaut,
Tochter der Seen
Onega und Ladoga!

Vormittagskonzert im Engelhardtschen Saal,
Madame Stepanow,

die Glinkas »Das Leben für den Zaren«
kreiert hatte, schreit unnatürlich,
Worojews Bariton hat schon gelitten.
An einem Pfeiler,
mit vorstehenden weißen Zähnen,
afrikanischer Lippe,
ohne Brauen,
Alexander Sergeitsch (Puschkin).

Neben ihm Baron Brambeus,
dessen »großer Empfang beim Satan«
als Gipfel der Vollkommenheit gilt.
Violoncellist: Davidoff.
Und dann die russischen Bässe: ultratief,
die normalen Singbässe vielfach in der Oktave
verdoppelnd,
das Contra-C rein und voll,
aus zwanzig Kehlen
ultratief.

Zu den Inseln!
Namentlich Kretowsky – Lustort, Lustwort –,
Baschkiren, Bartrussen, Renntiersamojeden
auf Sinnlichkeits- und Übersinnlichkeitserwerb!

Erster Teil:
»Vom Gorilla bis zur Vernichtung Gottes«,
zweiter Teil:
»Von der Vernichtung Gottes bis zur Verwandlung
des physischen Menschen« –
Kornschnaps!
Das Ende der Dinge
ein Branntweinschluckauf
ultratief!

Raskolnikow
(als Ganzes weltanschaulich stark bedrängt)

betritt Kabak,
ordinäre Kneipe.
Klebrige Tische,
Ziehharmonika,
Dauertrinker,
Säcke unter den Augen,
einer bittet ihn
»zu einer vernünftigen Unterhaltung«.
Heuabfälle im Haar.
(Anderer Mörder:
Dorian Gray, London,
Geruch des Flieders,
honigfarbener Goldregen
am Haus – Parktraum –
betrachtet Ceylonrubin für Lady B.,
bestellt Gamelangorchester.)

Raskolnikow,
stark versteift,
wird erweckt durch Sonja »mit dem gelben Billett«
(Prostituierte. Ihr Vater
steht der Sache »im Gegenteil tolerant gegenüber«),
sie sagt:
»Steh auf! Komm sofort mit!
Bleib am Kreuzweg stehn,
küsse die Erde, die du besudelt,
vor der du gesündigt hast,
verneige dich dann vor aller Welt,
sage allen laut:
Ich bin der Mörder –
willst du?
Kommst du mit?« –
und er kam mit.

Jeder, der einen anderen tröstet,
ist Christi Mund –   *1948*

Trunkene Flut

Trunkene Flut,
trance- und traumgefleckt,
o Absolut,
das meine Stirne deckt,
um das ich ringe,
aus dem der Preis
der tiefen Dinge,
die die Seele weiß.

In Sternenfieber,
das nie ein Auge maß,
Nächte, Lieber,
daß man des Tods vergaß,
im Zeiten-Einen,
im Schöpfungsschrei
kommt das Vereinen,
nimmt hin – vorbei.

Dann du alleine
nach großer Nacht,
Korn und Weine
dargebracht,
die Wälder nieder,
die Hörner leer,
zu Gräbern wieder
steigt Demeter,

dir noch im Rücken,
im Knochenbau,
dann ein Entzücken,
ein Golf aus Blau,
von Tränen alt,
aus Not und Gebrest
eine Schöpfergestalt,
die uns leben läßt,

die viel gelitten,
die vieles sah,
immer in Schritten
dem Ufer nah
der trunkenen Flut,
die die Seele deckt
groß wie der Fingerhut
sommers die Berge fleckt.

1949

– Gewisse Lebensabende

I

Du brauchst nicht immer die Kacheln zu scheuern,
                                    Hendrickje,
mein Auge trinkt sich selbst,
trinkt sich zu Ende –
aber an anderen Getränken mangelt es –
dort die Buddhastatue,
chinesischen Haingott,
gegen eine Kelle Hulstkamp,
bitte!

Nie etwas gemalt
in Frostweiß oder Schlittschuhläuferblau
oder dem irischen Grün,
aus dem der Purpur schimmert –
immer nur meine Eintönigkeit,
mein Schattenzwang –
nicht angenehm,
diesen Weg so deutlich zu verfolgen.

Größe – wo?
Ich nehme den Griffel
und gewisse Dinge stehn dann da
auf Papier, Leinwand
oder ähnlichem Zunder –

Resultat: Buddhabronze gegen Sprit –
aber Huldigungen unter Blattpflanzen,
Bankett der Pinselgilde –:
was fürs Genre –!

... Knarren,
Schäfchen, die quietschen,
Abziehbilder
flämisch, rubenisch
für die Enkelchen –!
(ebensolche Idioten –!)

Ah – Hulstkamp –
Wärmezentrum,
Farbenmittelpunkt,
mein Schattenbraun –
Bartstoppelfluidum um Herz und Auge –

Der Kamin raucht
– schneuzt sich der Schwan vom Avon –,
die Stubben sind naß,
klamme Nacht, Leere vermählt mit Zugluft –
Schluß mit den Gestalten,
übervölkert die Erde
reichlicher Pfirsichfall, vier Rosenblüten
pro anno –
ausgestreut,
auf die Bretter geschoben
von dieser Hand,
faltig geworden
und mit erschlafften Adern!

Alle die Ophelias, Julias,
bekränzt, silbern, auch mörderisch –
alle die weichen Münder, die Seufzer,
die ich aus ihnen herausmanipulierte –
die ersten Aktricen längst Qualm,
Rost, ausgelaugt, Rattenpudding –
auch Herzens-Ariel bei den Elementen.

Die Epoche zieht sich den Bratenrock aus.
Diese Lord- und Lauseschädel,
ihre Gedankengänge,
die ich ins Extrem trieb –

meine Herren Geschichtsproduzenten
alles Kronen- und Zepteranalphabeten,
Großmächte des Weltraums
wie Fledermaus oder Papierdrachen!

Sir Goon schrieb neulich an mich:
»der Rest ist Schweigen«: –
ich glaube, das ist von mir,
kann nur von mir sein,
Dante tot – eine große Leere
zwischen den Jahrhunderten
bis zu meinen Wortschatzzitaten –

aber wenn sie fehlten,
der Plunder nie aufgeschlagen,
die Buden, die Schafotte, die Schellen
nie geklungen hätten –:
Lücken –?? Vielleicht Zahnlücken,
aber das große Affengebiß
mahlte weiter
seine Leere, vermählt mit Zugluft –
die Stubben sind naß
und der Butler schnarcht in Porterträumen.

1949

Reisen

Meinen Sie Zürich zum Beispiel
sei eine tiefere Stadt,
wo man Wunder und Weihen
immer als Inhalt hat?

Meinen Sie, aus Habana,
weiß und hibiskusrot,
bräche ein ewiges Manna
für Ihre Wüstennot?

Bahnhofstraßen und Rueen,
Boulevards, Lidos, Laan —
selbst auf den Fifth Avenueen
fällt Sie die Leere an —

Ach, vergeblich das Fahren!
Spät erst erfahren Sie sich:
bleiben und stille bewahren
das sich umgrenzende Ich.

1950

Fragmente

Fragmente,
Seelenauswürfe,
Blutgerinnsel des zwanzigsten Jahrhunderts –

Narben – gestörter Kreislauf der Schöpfungsfrühe,
die historischen Religionen von fünf Jahrhunderten
                                        zertrümmert,
die Wissenschaft: Risse im Parthenon,
Planck rann mit seiner Quantentheorie
zu Kepler und Kierkegaard neu getrübt zusammen –

aber Abende gab es, die gingen in den Farben
des Allvaters, lockeren, weitwallenden,
unumstößlich in ihrem Schweigen
geströmten Blaus,
Farbe der Introvertierten,
da sammelte man sich
die Hände auf das Knie gestützt
bäuerlich, einfach
und stillem Trunk ergeben
bei den Harmonikas der Knechte –

und andere
gehetzt von inneren Konvoluten,
Wölbungsdrängen,
Stilbaukompressionen
oder Jagden nach Liebe.

Ausdruckskrisen und Anfälle von Erotik:
das ist der Mensch von heute,
das Innere ein Vakuum,
die Kontinuität der Persönlichkeit
wird gewahrt von den Anzügen,
die bei gutem Stoff zehn Jahre halten.

Der Rest Fragmente,
halbe Laute,
Melodienansätze aus Nachbarhäusern,
Negerspirituals
oder Ave Marias.

1951

66

Restaurant

Der Herr drüben bestellt sich noch ein Bier,
das ist mir angenehm, dann brauche ich mir keinen
                                        Vorwurf zu machen
daß ich auch gelegentlich einen zische.
Man denkt immer gleich, man ist süchtig,
in einer amerikanischen Zeitschrift las ich sogar,
jede Zigarette verkürzt das Leben um sechsunddreißig
                                                        Minuten,
das glaube ich nicht, vermutlich steht die Coca-Cola-
                                                    Industrie
oder eine Kaugummifabrik hinter dem Artikel.

Ein normales Leben, ein normaler Tod
das ist auch nichts. Auch ein normales Leben
führt zu einem kranken Tod. Überhaupt hat der Tod
mit Gesundheit und Krankheit nichts zu tun,
er bedient sich ihrer zu seinem Zwecke.

Wie meinen Sie das: der Tod hat mit Krankheit nichts
                                                zu tun?
Ich meine das so: viele erkranken, ohne zu sterben,
also liegt hier noch etwas anderes vor,
ein Fragwürdigkeitsfragment,
ein Unsicherheitsfaktor,
er ist nicht so klar umrissen,
hat auch keine Hippe,
beobachtet, sieht um die Ecke, hält sich sogar zurück
und ist musikalisch in einer anderen Melodie.

1951

Außenminister

Aufs Ganze gerichtet
sind die Völker eine Messe wert,
aber im einzelnen: laßt die Trompete zu der Pauke sprechen,
jetzt trinkt der König Hamlet zu –
wunderbarer Aufzug,
doch die Degenspitze vergiftet.

»Iswolski lachte.«
Zitate zur Hand, Bonmots in der Kiepe,
hier kühl, dort chaleureux, Peace and Goodwill,
lieber mal eine Flöte zuviel,
die shake hands Wittes in Portsmouth (1905)
waren Rekord, aber der Friede wurde günstiger.

Vorm Parlament – das ist keineswegs Schaumschlägerei,
hat Methode wie Sanskrit oder Kernphysik,
enormes Labor: Referenten, Nachrichtendienst, Empirie,
auch Charakter muß man durchfühlen,
im Ernst: Charakter haben die Hochgekommenen ganz
                                        bestimmt,
nicht wegen etwaiger Prozesse,
sondern er ist ihr moralischer Sex-Appeal –
allerdings: was ist der Staat?
»Ein Seiendes unter Seienden«,
sagte schon Plato.

»Zwiespalt zwischen der öffentlichen
und der eigentlichen Meinung« (Keynes). Opalisieren!
Man lebt zwischen les hauts et les bas,
erst Oberpräsident, dann kleiner Balkanposten,
                                        schließlich Chef,
dann ein neues Revirement,
und man geht auf seine Güter.

Leicht gesagt: verkehrte Politik.
Wann verkehrt? Heute? Nach zehn Jahren? Nach einem
                                        Jahrhundert?

Mésalliancen, Verrat, Intrigen,
alles geht zu unseren Lasten,
man soll das Ölzeug anziehn,
bevor man auf Fahrt geht,
beobachten, ob die Adler rechts oder links fliegen,
die heiligen Hühner das Futter verweigern.
Als Hannibal mit seinen Elefanten über den Simplon zog,
war alles in Ordnung,
als später Karthago fiel,
weinte Salambo.

Sozialismus – Kapitalismus –: wenn die Rebe wächst
und die Volkswirtschaft verarbeitet ihren Saft
dank außerordentlicher Erfindungen und Manipulationen
zu Mousseux – dann muß man ihn wohl auch trinken?
Oder soll man die Kelten verurteilen,
weil sie den massilischen Stock
tauschweise nach Gallien trugen –
damit würde man ja jeden zeitlichen Verlauf
und die ganze Kulturausbreitung verdammen.

»Die Außenminister kamen in einer zweistündigen
                                        Besprechung
zu einem vorläufigen Ergebnis«
(Öl- und Pipelinefragen),
drei trugen Cutaway,
einer einen Burnus.

                                                    1952

März. Brief nach Meran

Blüht nicht zu früh, ach blüht erst, wenn ich komme,
dann sprüht erst euer Meer und euren Schaum,
Mandeln, Forsythien, unzerspaltene Sonne –
dem Tal den Schimmer und dem Ich den Traum.

Ich, kaum verzweigt, im Tiefen unverbunden,
Ich, ohne Wesen, doch auch ohne Schein,
meistens im Überfall von Trauerstunden,
es hat schon seinen Namen überwunden,
nur manchmal fällt er ihm noch flüchtig ein.

So hin und her – ach blüht erst, wenn ich komme,
ich suche so und finde keinen Rat,
daß einmal noch das Reich, das Glück, das fromme,
der abgeschlossenen Erfüllung naht.

1952

Destille

I

Schäbig; abends Destille
in Zwang, in Trieb, in Flucht
Trunk – doch was ist der Wille
gegen Verklärungssucht.

Wenn man die Seele sichtet,
Potenz und Potential,
den Blick aufs Ganze gerichtet:
katastrophal!

Natürlich sitzen in Stuben
Gelehrte zart und matt
und machen aus Tintentuben
ihre Pandekten satt,

natürlich bauten sie Dome
dreihundert Jahre ein Stück
wissend, im Zeitenstrome
bröckelt der Stein zurück,

es ist nicht zu begreifen,
was hatten sie für Substanz,
wissend, die Zeiten schleifen
Turm, Rose, Krypte, Monstranz,

vorbei, à bas und nieder
die große Konfession,
à bas ins Hühnergefieder
konformer Konvention –

abends in Destillen
verzagt, verjagt, verflucht,
so vieles muß sich stillen,
im Trunk Verklärungssucht.

II

Es gibt Melodien und Lieder,
die bestimmte Rhythmen betreun,
die schlagen dein Inneres nieder
und du bist am Boden bis neun.

Meist nachts und du bist schon lange
in vagem Säusel und nickst
zu fremder Gäste Belange,
durch die du in Leben blickst.

Und diese Leben sind trübe,
so trübe, du würdest dich freun,
wenn ewig Rhythmenschübe
und du bliebest am Boden bis neun.

III

Ich erlebe vor allem Flaschen
und abends etwas Funk,
es sind die lauen, die laschen
Stunden der Dämmerung.

»Du mußt dich doch errichten
empor und hochgesinnt!«
»Ich erfülle meine Pflichten,
wo sie vorhanden sind.«

Mir wurde nichts erlassen,
Tode und oft kein Bett,
ich mußte mit Trebern prassen
im zerrissnen Jackett.

Doch nun ist Schluß, ich glühe
von Magma und von Kern,
von Vor-Quartär und Frühe
wort-, schrift- und kupferfern,

ich lasse mich überraschen,
Versöhnung – und ich verzieh:
aus Fusel, Funk und Flaschen
die Neunte Symphonie.

IV

Ich will mich nicht erwähnen,
doch fällt mir manchmal ein
zwischen Fässern und Hähnen
eine Art von Kunstverein.

Die haben etwas errichtet,
eine Aula mit Schalmei,
da wird gespielt und gedichtet,
was längst vorbei.

Ich lasse mich zerfallen,
ich bleibe dem Ende nah,
dann steht zwischen Trümmern und Ballen
eine tiefe Stunde da.

1953

Bar

Flieder in langen Vasen,
Ampeln, gedämpftes Licht
und die Amis rasen,
wenn die Sängerin spricht:

Because of you (ich denke)
romance had its start (ich dein)
because of you (ich lenke
zu dir und du bist mein).

Berlin in Klammern und Banden,
sechs Meilen eng die Town
und keine Klipper landen,
wenn so die Nebel braun,

es spielt das Cello zu bieder
für diese lastende Welt,
die Lage verlangte Lieder,
wo das Quartär zerfällt,

doch durch den Geiger schwellen
Jokohama, Bronx und Wien,
zwei Füße in Wildleder stellen
das Universum hin.

Abblendungen: Fächertänze,
ein Schwarm, die Reiher sind blau,
Kolibris, Pazifikkränze
um die dunklen Stellen der Frau,

und nun sich zwei erheben,
wird das Gesetz vollbracht:
das Harte, das Weiche, das Beben
in einer dunkelnden Nacht.

1953

Was schlimm ist

Wenn man kein Englisch kann,
von einem guten englischen Kriminalroman zu hören,
der nicht ins Deutsche übersetzt ist.

Bei Hitze ein Bier sehn,
das man nicht bezahlen kann.

Einen neuen Gedanken haben,
den man nicht in einen Hölderlinvers einwickeln kann,
wie es die Professoren tun.

Nachts auf Reisen Wellen schlagen hören
und sich sagen, daß sie das immer tun.

Sehr schlimm: eingeladen sein,
wenn zu Hause die Räume stiller,
der Café besser
und keine Unterhaltung nötig ist.

Am schlimmsten:
nicht im Sommer sterben,
wenn alles hell ist
und die Erde für Spaten leicht.

1953

Viele Herbste

Wenn viele Herbste sich verdichten
in deinem Blut, in deinem Sinn
und sie des Sommers Glücke richten,
fegt doch die fetten Rosen hin,

den ganzen Pomp, den ganzen Lüster,
Terrassennacht, den Glamour-Ball
aus Crêpe de Chine, bald wird es düster,
dann klappert euch das Leichtmetall,

das Laub, die Lasten, Abgesänge,
Balkons, geranienzerfetzt –
was bist du dann, du Weichgestänge,
was hast du seelisch eingesetzt?

1953

Nur zwei Dinge

Durch so viel Formen geschritten,
durch Ich und Wir und Du,
doch alles blieb erlitten
durch die ewige Frage: wozu?

Das ist eine Kinderfrage.
Dir wurde erst spät bewußt,
es gibt nur eines: ertrage
– ob Sinn, ob Sucht, ob Sage –
dein fernbestimmtes: Du mußt.

Ob Rosen, ob Schnee, ob Meere,
was alles erblühte, verblich,
es gibt nur zwei Dinge: die Leere
und das gezeichnete Ich.

1953

Aber du –?

Flüchtiger, du mußt die Augen schließen,
denn was eindringt, ist kein Großes Los,
abends im Lokal ist kein Genießen,
selbst an diesem Ort zerfällst du bloß.

Plötzlich sitzt ein Toter an der Theke,
Rechtsanwalt, mit rotem Nierenschwund,
schon zwei Jahre tot, mit schöner Witwe,
und nun trinkt er lebhaft und gesund.

Auch die Blume hat schon oft gestanden,
die jetzt auf dem Flügel in der Bar,
schon vor fünfzig Jahren, stets vorhanden
Gott weiß wann, wo immer Sommer war.

Alles setzt sich fort, dreht von der alten
einer neuen Position sich zu,
alles bleibt in seinem Grundverhalten –
aber du –?

1954

Zwei Träume

Zwei Träume. Der erste fragte,
wie ist nun dein Gesicht:
was deine Lippe sagte
oder das schluchzend Gewagte
bei verdämmerndem Licht?

Der zweite sah dich klarer:
eine Rose oder Klee,
zart, süß – ein wunderbarer
uralter Weltenbewahrer
der Muschelformen der See.

Wird noch ein dritter kommen?
Der wäre von Trauer schwer:
Ein Traum der Muschel erglommen,
die Muschel von Fluten genommen
hin in ein anderes Meer.

1954

Teils – teils

In meinem Elternhaus hingen keine Gainsboroughs
wurde auch kein Chopin gespielt
ganz amusisches Gedankenleben
mein Vater war einmal im Theater gewesen
Anfang des Jahrhunderts
Wildenbruchs »Haubenlerche«
davon zehrten wir
das war alles.

Nun längst zu Ende
graue Herzen, graue Haare
der Garten in polnischem Besitz
die Gräber teils-teils
aber alle slawisch,
Oder-Neiße-Linie
für Sarginhalte ohne Belang
die Kinder denken an sie
die Gatten auch noch eine Weile
teils-teils
bis sie weitermüssen
Sela, Psalmenende.

Heute noch in einer Großstadtnacht
Caféterrasse
Sommersterne,
vom Nebentisch
Hotelqualitäten in Frankfurt
Vergleiche,
die Damen unbefriedigt
wenn ihre Sehnsucht Gewicht hätte
wöge jede drei Zentner.

Aber ein Fluidum! Heiße Nacht
à la Reiseprospekt und
die Ladies treten aus ihren Bildern:
unwahrscheinliche Beauties
langbeinig, hoher Wasserfall
über ihre Hingabe kann man sich gar nicht erlauben
nachzudenken.

Ehepaare fallen demgegenüber ab,
kommen nicht an, Bälle gehn ins Netz,
er raucht, sie dreht ihre Ringe,
überhaupt nachdenkenswert
Verhältnis von Ehe und Mannesschaffen
Lähmung oder Hochtrieb.

Fragen, Fragen! Erinnerungen in einer Sommernacht
hingeblinzelt, hingestrichen,
in meinem Elternhaus hingen keine Gainsboroughs
nun alles abgesunken
teils-teils das Ganze
Sela, Psalmenende.

1954

Ich abonniere ab .... *die Monatszeitschrift*

Neue Stimme

☐ zum Preise von DM 4,— zuzüglich Porto per Direktlieferung vom Verlag aus gegen jährliche Verlagsrechnung.

☐ als Student, Schüler, Wehrpflicht- oder Zivildienstleistender zum ermäßigten Preis von DM 3,— zuzüglich Porto per Direktlieferung vom Verlag aus gegen jährliche Verlagsrechnung.

Das Abonnement verlängert sich jeweils um ein weiteres Kalenderjahr, wenn nicht bis zum 30. September des laufenden Jahres eine schriftliche Kündigung zum Jahresende beim Verlag eingegangen ist. Änderungen der Anschrift gebe ich dem Verlag unverzüglich bekannt. Die Lieferung der Zeitschrift erfolgt zu Bedingungen, wie sie sich aus dem jeweils neuesten Heft ergeben. Abonnementsrechnungen sind innerhalb von vier Wochen nach ihrer Ausstellung zu begleichen. Erfüllungsort und Gerichtsstand ist Köln.

Name:												
Vorname:												
Straße:												
PLZ:			Ort:									
Beruf:												

Unterschrift: ....

Pahl-Rugenstein Verlag

Gottesweg 54

5000 Köln 51

Senden Sie bitte ein kostenloses Probeheft an folgende
Anschriften:

1. ....

2. ....

3. ....

....

....

....

Name, Ort und Straße

»Der Broadway singt und tanzt«

Eine magnifique Reportage!

1) Das Debüt der Negersängerin als Wahrsagerin
Ulrika im Maskenball,
bisher nur als Lieder- und Arienvirtuosin bekannt,
nun mit großem Orchester und berühmten Stimmen:
»glückte vollendet«.

2) Vorfälle, dramatisiert: alles Kompromißler,
nur bei einem einzigen der Versuch, »gegen die Mühle
der Mehrheitsmeinung«
»die Wahrheit an den Tag zu bringen«
(großartig – aber siehe Pilatus).

3) Kaiserinmutter und Prinzessin Irina:
ein »mit fast unerträglicher innerer (!) Spannung
geladenes Duell«,
drei Hochstapler kommen noch dazu –
(wenn das nicht prima ist!)

4) Noah und seine Familie – die ganze Sintflut,
die Fahrt der Arche bis zum Aufstoßen,
»der bekannte Patriarch«
eine »im tiefsten Sinne spannende Haltung«
»fast betäubend«,
dem Komponisten wurden die Songs
per Telefon von New York nach St. Moritz vorgespielt
(allerlei! Arche-Noah-Songs!)

Dagegen unser Europa! Vielleicht Urgrund der Seele;
aber viel Nonsens, Salbader:
»Die Wahrheit«, Lebenswerk, fünfhundert Seiten –
so lang kann die Wahrheit doch gar nicht sein!
oder:
»Das Denkerische über das Denken«,
das ist bestimmt nicht so betäubend
wie Broadway-Noah

Immer: Grundriß!

Kinder! Kinder!

1955

Eure Etüden

Eure Etüden,
Arpeggios, Dankchoral
sind zum Ermüden
und bleiben rein lokal.

Das Krächzen der Raben
ist auch ein Stück –
dumm sein und Arbeit haben:
das ist das Glück.

Das Sakramentale –
schön, wer es hört und sieht,
doch Hunde, Schakale
die haben auch ihr Lied.

Ach, eine Fanfare,
doch nicht an Fleisches Mund,
daß ich erfahre,
wo aller Töne Grund.

1955

Verließ das Haus

I

Verließ das Haus, verzehrt, er litt so sehr,
so viele Jahre Mensch, mit Zwischendingen,
trotz Teilerfolg im Geistesringen
war keiner von olympischem Gewähr.

So ging er langsam durch die Reverie
des späten Herbsttags, kaum zu unterscheiden
von einem Frühlingstag mit jungen Weiden
und einem Kahlschlag, wo der Häher schrie.

So träumerisch von Dingen überspielt,
die die Natur in Lenken und Verwalten
entfernter Kreise – jüngeren und alten –
als unaufhebbar einer Ordnung fühlt –:

So trank er denn den Schnaps und nahm die Tracht
Wurstsuppe, donnerstags umsonst gereichte
an jeden Gast, und fand das angegleichte
Olympische von Lust und Leidensmacht.

II

Er hatte etwas auf der Bank gelesen
und in der letzten Rosen Grau gesehn,
es waren keine Stämme, Buschwerkwesen,
gelichtet schon von Fall und Untergehn.

Nun sank das Buch. Es war ein Tag wie alle
und Menschen auch wie alle im Revier,
das würde weiter sein, in jedem Falle
blieb dies Gemisch von Tod und Lachen hier.

Schon ein Geruch kann mancherlei entkräften.
auch kleine Blumen sind der Zeder nah –
dann ging er weiter und in Pelzgeschäften
lag manches Warme für den Winter da.

III

Ganz schön – gewiß – für Schnaps und eine Weile
im Park am Mittag, wenn die Sonne scheint,
doch wenn der Hauswirt kommt, gewisse Teile
der Steuer fehlen und die Freundin weint?

Verzehrt: wie weit darfst du dein Ich betreiben,
Absonderliches als verbindlich sehn?
Verzehrt: wie weit mußt du im Genre bleiben –
so weit wie Ludwig Richters Bilder gehn?

Verzehrt: man weiß es nicht. Verzehrt: man wendet
sich qualvoll Einzel zu wie Allgemein –
das Zwischenspiel von Macht des Schicksals endet
glorios und ewig, aber ganz allein.

Verflucht die Evergreens! Die Platten dröhnen!
Schnaps, Sonne, Zedern – was verhelfen sie
dem Ich, den Traum, den Wirt und Gott versöhnen –
die Stimmen krächzen und die Worte höhnen –
verließ das Haus und schloß die Reverie.

1955

Tristesse

Die Schatten wandeln nicht nur in den Hainen,
davor die Asphodelenwiese liegt,
sie wandeln unter uns und schon in deinen
Umarmungen, wenn noch der Traum dich wiegt.

Was ist das Fleisch – aus Rosen und aus Dornen,
was ist die Brust – aus Falten und aus Samt,
und was das Haar, die Achseln, die verworrnen
Vertiefungen, der Blick so heiß entflammt:

Es trägt das Einst: die früheren Vertrauten
und auch das Einst: wenn du es nicht mehr küßt,
hör gar nicht hin, die leisen und die lauten
Beteuerungen haben ihre Frist.

Und dann November, Einsamkeit, Tristesse,
Grab oder Stock, der den Gelähmten trägt –
die Himmel segnen nicht, nur die Zypresse,
der Trauerbaum, steht groß und unbewegt.

1955

Aprèslude

Tauchen mußt du können, mußt du lernen,
einmal ist es Glück und einmal Schmach,
gib nicht auf, du darfst dich nicht entfernen,
wenn der Stunde es an Licht gebrach.

Halten, Harren, einmal abgesunken,
einmal überströmt und einmal stumm,
seltsames Gesetz, es sind nicht Funken,
nicht alleine – sieh dich um:

Die Natur will ihre Kirschen machen,
selbst mit wenig Blüten im April
hält sie ihre Kernobstsachen
bis zu guten Jahren still.

Niemand weiß, wo sich die Keime nähren,
niemand, ob die Krone einmal blüht –
Halten, Harren, sich gewähren
Dunkeln, Altern, Aprèslude.

1955

Menschen getroffen

Ich habe Menschen getroffen, die,
wenn man sie nach ihrem Namen fragte,
schüchtern – als ob sie gar nicht beanspruchen könnten,
auch noch eine Benennung zu haben –
»Fräulein Christian« antworteten und dann:
»wie der Vorname«, sie wollten einem die Erfassung
erleichtern,
kein schwieriger Name wie »Popiol« oder »Babendererde« –
»wie der Vorname« – bitte, belasten Sie Ihr
Erinnerungsvermögen nicht!

Ich habe Menschen getroffen, die
mit Eltern und vier Geschwistern in einer Stube
aufwuchsen, nachts, die Finger in den Ohren,
am Küchenherde lernten,
hochkamen, äußerlich schön und ladylike wie Gräfinnen –
und innerlich sanft und fleißig wie Nausikaa,
die reine Stirn der Engel trugen.

Ich habe mich oft gefragt und keine Antwort gefunden,
woher das Sanfte und das Gute kommt,
weiß es auch heute nicht und muß nun gehn.

1955

General

Meine Herren –: Stichwort: Reginald!
Spannungsstufe III, Sofortmaßnahmen –!
Zwanzig Uhr Verladung der beschleunigten Divisionen!

Wozu die ganze Chose in Bewegung geht –
keine Fragestellung! Geschieht!
Spähtrupps, mechanisierte Abteilungen,
mot.-, t-mot.-, Raupenschlepper
durch die blaue Zone,
wo die Maschinen schweigen müssen,
die letzten zweihundert Meter
für die Infanterie!

Vernichtung! Ein Rausch die Gräben!
Wenn Sie wollen, vorher doppelte Rumration.
Hinweis auf die Feldpolizei.
Gefangene – Sie verstehn! Auf keinen Fall schriftlichen
                                        Befehl darüber!
Der Materialwert der Angrenzerländer
ist Reichsmark zehntausend für den Morgen,
in der Avenue de l'Opéra und den Docks von Bizerta
                                        wesentlich höher,
demnach Bomber nie zum Luftkampf
alle Last auf Produktionszentren!

– Jemand noch eine Frage? *Kriegserklärung?*
meine Herren, auf der Reede von Tschemulpo

versenkten 1904 acht dreckige Japszerstörer
die halbe russische Kriegsflotte
mitten im heitersten Frieden
frühmorgens, als die Brötchen ausgetragen wurden,
dann machten sie leider kehrt, statt zu vollenden:
das wird nie wieder vorkommen!
Einbrechen! Lost über das eingesiedelte Ungeziefer!
Steilfeuer! Sauerstoff an die Tresors!
Kostenanschlag – möchte ich sagen,
und dann bedienen wir die Maschinen!

Meine Herren – Sieg! Pylone, wenn Sie heimkehren
und ein ewiges Feuer den Toten!
Halsorden! Beinamen wie: »Löwe von –«,
Nachrufe mit Stabreimen wie: »in Frieden und Front –«.
Kranzschleifen bei Todesfall, Lorbeer, Mythen –!

Ich danke Ihnen, meine Herren! Für die Jüngeren:
beim letzten großen Ausmarsch war *ich* Zugführer!
Hier spricht ein Herz!
Vernichtung!
Und wer mich sucht,
im Gegensatz zum Weltkrieg
bei Kampfwagenangriff
im vordersten Tank! –

1958

Radio

I

»– die Wissenschaft als solche« –
wenn ich Derartiges am Radio höre,
bin ich immer ganz erschlagen.
Gibt es auch eine Wissenschaft nicht als solche?
Ich sehe nicht viel Natur, komme selten an Seen,
Gärten nur sporadisch, mit Gittern vor,
oder Laubenkolonien, das ist alles,
ich bin auf Surrogate angewiesen:
Radio, Zeitung, Illustrierte –
wie kann man mir da so was bieten?

Da muß man doch Zweifel hegen,
ob das Ersatz ist für Levkoien,
für warmes Leben, Zungenkuß, Seitensprünge,
alles, was das Dasein ein bißchen üppig macht
und es soll doch alles zusammengehören!

Nein, diese vielen Denkprozesse sind nichts für mich,
aber es gibt volle Stunden,
wo man auf keinem Sender (Mittel-, Kurz-, Lang- und
Ultrawelle)
eine Damenstimme hört (»erst sagt man nein, dann
vielleicht, dann ja«),
immer nur diese pädagogischen Sentenzen,
eigentlich ist alles im männlichen Sitzen produziert,
was das Abendland sein Höheres nennt –
ich aber bin, wie gesagt, für Seitensprünge!

II

»– würden alte Kulturbestände völlig verschwunden sein –«
(nun, wenn schon)
»– klingende Vergangenheit –«
(von mir aus)
»– in den Orten Neu-Mexikos
segnen die Farmer ihre Tiere und Felder
mit diesen Liedern –«
(angenehm,
aber ich meinerseits komme aus Brandenburg kaum heraus).

Wir hören Professor Salem Aleikum,
der Reporter beliebäugelt ihn noch:
»der Professor liegt auf der Terrasse seines Hauses
die Laute im Arm
und singt die alten Balladen« –
wahrscheinlich auf einer Ottomane,
Eiswasser neben sich,
widerlegt Hypothesen, stößt neue aus –

die größten Ströme der Welt
Nil, Brahmaputra oder was weiß ich,
wären zu klein, alle diese Professoren zu ersäufen –

ich habe kein Feld, ich habe kein Tier,
mich segnet nichts, es ist reiner Unsegen,
aber diese Professoren
sie lehren in Saus und Braus
sie lehren aus allen Poren
und machen Kulturkreis draus.

1958

Hör zu

Hör zu, so wird der letzte Abend sein,
wo du noch ausgehn kannst: du rauchst die »Juno«,
»Würzburger Hofbräu« drei, und liest die Uno,
wie sie der »Spiegel« sieht, du sitzt allein

an kleinem Tisch, an abgeschlossenem Rund
dicht an der Heizung, denn du liebst das Warme.
Um dich das Menschentum und sein Gebarme,
das Ehepaar und der verhaßte Hund.

Mehr bist du nicht, kein Haus, kein Hügel dein,
zu träumen in ein sonniges Gelände,
dich schlossen immer ziemlich enge Wände
von der Geburt bis diesen Abend ein.

Mehr warst du nicht, doch Zeus und alle Macht,
das All, die großen Geister, alle Sonnen
sind auch für dich geschehn, durch dich geronnen,
mehr warst du nicht, beendet wie begonnen –
der letzte Abend – gute Nacht.

1960

Gottfried Benn
oder Die Verteidigung des Elfenbeinturms

> Ästhetische Werte in Deutschland,
> Artistik in einem Land, wo man von
> Haus aus so viel träumt und trübt? (I, 161)

> Außen verdienst du dir dein Geld und
> innen gibst du deinem Affen Zucker, mehr
> kann nicht sein, das ist die Lage, erkenne
> sie, verlange nicht, was unmöglich
> ist! (IV, 142)

Die Lage

Das Prinzip Hoffnung hat uns als Irrlicht zur besseren Zukunft
bereits bis heute heimgeleuchtet. Was sich so alles als große Be-
freiung angekündigt und vorgestellt hat, erwies sich nach
Augenschein der Praxis als Kulissenschiebung.
*Der ewige Frieden auf Erden, der ewige Frühling am Nord-
pol ... Nein, auch nicht unter dem Weihnachtsbaum kann ich
mir einreden, daß sich die Geschichte demokratisch gibt, daß sie
ein anderes Sein hat, als ihre Wirklichkeit. (IV, 238)*
Diese Art Defaitismus wird sekretiert oder nicht verziehen.
Kritik ja, Kritik der durchgängig miserablen Zustände im einzelnen ja, wird zur verordneten Pflichtübung. Dabei gelingen
Schriftstellern die miesen Typen, Wissenschaftlern die Analysen
der miesen Verhältnisse stets excellent; positive Gegenwelten
bleiben dünn oder aus, es fehlt offensichtlich an Anschauungs-
material; Hauptsache, irgendwann irgendwo findet sich ein Bekenntnis zur grundsätzlichen Meliorisierbarkeit.
*Ein Herr sitzt vor mir in meinem Sprechzimmer, er will bei mir
Genesungssubstantive kaufen; nur Mut, mein Freund, es geht
schon aufwärts, Beruhigung, Bekömmlichkeit. Ich blicke über
die Straße, ein Herr stäubt sich den Rock ab, es stäuben sich
aber in diesem Augenblick viele Herren den Rock ab. (IV, 10)*

96

Prinzip Hoffnung, befreite Gesellschaft, engagierte Kunst –
vielleicht ist auch das nur Romantik, rührige Spielart der Inner-
lichkeit, affirmative Basis-Beschwichtigung für die tägliche Tret-
mühle, Seborin-Reklame: lassen Sie nicht nach, beschränkte Sicht
aber konstitutionell bedingt.

Vom Klassiker

Gottfried Benn ist als moderner Klassiker kanonisiert; ein Bestand seiner Gedichte – die harmonischen, vielleicht die vollen-
detsten – hat eine bestimmte Anzahl von Seiten in Lesebüchern
und Lyrik-Anthologien zu füllen; sein Werk ging den Weg der
Werke der Klassiker: erst will sie keiner; dann wird der Unter-
gang des Abendlands beschworen; dann flicken Kritiker mit
Zwars und Abers daran herum; dann vermessen Philologen alles nach Länge, Breite, Tiefe; bis hin zum Goethe-Institut und
Rezitationen bei Buchsbaum, der gebildete Ministerialdirigent
appliziert ein Zitat. Ob Kafka, Brecht oder Benn, wie sauer
mans ihnen auch werden ließ, wie pessimistisch, staatsgefähr-
dend, destruktiv auch immer die Botschaft, sie werden – gelingt
ihrem Werk der Weg durch die Instanzen – vereinnahmt, ver-
packt, Gütesiegel Kultur, Abteilung Export: wir sind wieder wer.
*Sublimierter Kapitalismus ist die Kategorie, in der der Staat
und die von ihm vertretene Öffentlichkeit die Kunst empfindet
und gelten läßt. Hohenzollern oder Republik, das ist Jacke wie
Hose. Günther, Hölderlin, Heine, Nietzsche, Kleist, Rilke oder
die Lasker-Schüler – der Staat hat nie etwas für die Kunst ge-
tan. Kein Staat. Penthesilea wäre nie erschienen, wenn darüber
abgestimmt wäre. Der Staat, immer bereit zu Geschwätz, daß
die Nation sich aus inneren Kräften erneuere, hat der Kunst gegenüber keine andere Geste als die, die vom Fehlgriff lebt. Er
beruft eine Akademie: zwei oder drei Konzessionslose, die un-
übersehbar sind, aber dann die Masse der Schieber, die flüssigen
Epiker, die Rülpser des Anekdotenschleims, die psychologischen
Stauer von Mittelstandsvorfällen ... Der Konformismus war
immer da.* (I, 45; I, 574)

»Widerwärtig und ekelerregend« war der erste Kommentar zu den ersten Benn-Gedichten. »Kneipenzynismus«, »Schnodderton«, »schmierige Piefkewelt« waren die Epitheta, die Max Rychner für den jungen Arno Schmidt fand, zur gleichen Zeit, als er (der Rychner, versteht sich) den alten Benn lobte.

Erinnern Sie sich gelegentlich daran, daß man Schubert in seinem neunundzwanzigsten Lebensjahr nahelegte, sein Notenpapier ohne Linien zu kaufen und es selbst zu linieren, das fiele billiger aus. Allerlei, sagt natürlich heute jeder, aber es geschieht natürlich genauso wieder, und nicht jeder ist dann soweit, daß er mit einunddreißig Jahren kein Geld mehr auszugeben braucht. (I, 580)

Die öffentliche Aufnahme der Kunst geht von der Entrüstung unter Umgehung einer Auseinandersetzung direkt in die inzestuöse Fachschaft. Kunst wird Kulturgut.

Und die, die sowieso was gegen Kulturgüter haben, aber ansonsten fürs vermehrte Abstimmen sind, wissen von Benn noch, daß er sich mit den Nazis kompromittiert hat. Kein Wunder, sagen sie, bei einem, der sich auf Form, Ausdruck, Artistik berief. Formalismus = Faschismus ist die probate Formel. Merkwürdig in diesem Zusammenhang nur, daß die Nazis genau das an Benn gefährlich fanden: Form, Ausdruck, Artistik.

Die neue Gretchenfrage

In einem Fernsehrapport über die Oberhausener Filmwoche kam es der adrett ondulierten Ansagerin lächelnd über die Lippen: »Diese Filme legen keinen Wert auf Ästhetik, sie wollen repressive Strukturen transparent machen ... gesellschaftliche Relevanz ... Klassencharakter ... engagierte Protokolle ...«

... es wirkt so, als wenn die Regenwürmer sagten, was sind wir doch für ein rapides Geschlecht, ich sah erst gestern einen Vogel der mußte die Flügel bewegen, um vorwärts zu kommen (I, 375)

Auf die Gefahr hin, Banalitäten als Novitäten vorzuführen

Von der dämonisierten Ästhetik hängt ab, ob überhaupt, wenn überhaupt, etwas transparent wird. Allein der ästhetische Rang bestimmt die Wirkung eines Kunstwerks. Ästhetik – jeder Bestseller-, Flugblatt- oder Wiesengedicht-Autor bedient sich ihrer auf seine Weise. Ästhetizisten haben die Ästhetik ebenso-wenig gepachtet wie Sozialisten das Soziale. Aber überall die erste Frage an die Kunst: wie stehts mit ihrer gesellschaftlichen Verantwortung, ihrem Humanismus, ihrem Engagement.

Wer hat nur die Alternative reine Kunst – engagierte Kunst konstruiert? Es gibt eine Kunst der Politik, eine Kunst der Stra-tegie, eine Kunst der Rhetorik, eine Kochkunst – immer ist mit »Kunst« eine formale Qualität gemeint. Nur »Die Kunst« – die sich selbst als das Formale schlechthin definiert – steht un-ter immerwährendem Ideologieverdacht. Reine Kunst – enga-gierte Kunst: das hat nichts mit Kunst zu tun, nur mit ihren In-halten. Fangen wir nochmal von vorne an: woher auch immer ein Künstler seine Substanzen und Impulse bezieht: Naturge-fühl, Ehegezänk, Kindersegen und -sorgen, Arbeitsalltag, Kri-minalfall, die politische oder religiöse Lage oder die Unwirt-lichkeit unserer Städte – das kennt ja jeder –: Kunst wird daraus nur durch Form, Ausdruck, Artistik. Aber alle beeilen sich, ihr Bekenntnis abzulegen: zur gesellschaftlichen Verant-wortung, zum Humanismus, zum Engagement.

Sie meinen, daß jeder, der heute denkt und schreibt, es im Sinne der Arbeiterbewegung tun müsse, Kommunist sein müsse, dem Aufstieg des Proletariats seine Kräfte leihen. Warum eigentlich? Soziale Bewegungen gab es doch von jeher. Die Armen wollen immer hoch und die Reichen nicht herunter. (IV, 217) Es er-scheint mir geradezu angebracht, dem einmal ins Gesicht zu se-hen: dem Typischen des proletarischen Prozesses, dem reinen Umschichtungscharakter der neuen Machtlage bei gleichgeblie-bener imperialistischer und kapitalistischer Tendenz. (IV, 211) Auch wer nicht weniger radikal als die patentierten Sozialliteraten das nahezu Unfaßbare unseres Wirtschaftssystems empfin-det, muß sich doch zu der Erkenntnis halten, daß der Mensch in allen Wirtschaftssystemen das tragische Wesen bleibt, dessen

Abgründe sich nicht durch Streuselkuchen und Wollwesten auf-
füllen lassen, dessen Dissonanzen sich nicht auflösen im Rhyth-
mus einer Internationale. (I, 426) *Aber dazu gehört natürlich*
mehr Mut, als den Nachklängen der französischen Revolution
zu lauschen, sich mit den Spätfarben des Darwinismus zu dra-
pieren, die Zukunft zu belasten, die doch andere verwirklichen
sollen. Denn die Herren, von denen wir ausgingen, die schrei-
ben doch höchstens Gedichte und Feuilletons, die Visage hinhal-
ten, wenn es losginge, das müßten doch die Trimmer, die Kum-
pels, die Proleten, während jene die Anfeuerung besorgten aus
ihren Etagenwohnungen oder ihrem Luftkurort. (IV, 219)

Kann Kunst die Gesellschaft verbessern?

Gottfried Benn hat jeden sozialen Auftrag für sein Werk abge-
lehnt. Er hat selbstgestellte Aufträge erfüllt, die sich dann als
Aufträge eines Zeitalters herausstellten. Man sollte lernen, zwischen zur Schau gestellter Gesinnung und Leistung eines Autors
zu unterscheiden. Ist ein Autor, der sich zum Sozialismus bekennt,
ein sozialistischer Autor? Ist ein Autor, der sich einen Fatalisten
nennt, ein fatalistischer Autor? Die Einheit von Leben und
Werk ist auch so eine Illusion: Rousseau steckt seine Kinder ins
Armenhaus und wird ein bedeutender Pädagoge; Büchner, Engagierter der Tat, ist politischer Pessimist; Schopenhauer hält
als Kleinkapitalist seine Groschen zusammen, um das Mitleid
die Grundlage der Moral nennen zu können; der Royalist Balzac liefert Marx Einsichten in die mörderische Mechanik der
Ökonomie seiner geliebten Gesellschaft; Marx verbringt sein
Leben in Bibliotheken und predigt die Weltrevolution; Oscar
Wilde macht die Moral in der Kunst lächerlich und schreibt mo-
raltriefende Märchen; Nietzsche, ein sanftes Mickermännchen,
besingt die blonde Bestie. Natürlich wäre es erbaulicher, mitzu-
teilen, daß einer, der einen Wegweiser aufstellte, dem Weg auch
folgte. Aber warum sollen ausgerechnet Künstler und Philosophen auch noch moralische Leithammel abgeben? Sie haben ein
Werk abgeliefert, das hat ihre Kräfte absorbiert.

Oder man nehme den Fall der modernen Klassiker Benn und Brecht. Brecht, von Haus aus Großbürger, ein Ästhet, Formalist, Manierist, ein »Stefan George im Drillich« wie Gerhard Szczesny brillant und zu wenig beachtet nachgewiesen hat, brauchte den Kommunismus als Agens, das seinen Formtrieb kanalisierte und befriedigte. Brecht ist kein großer Kommunist, sondern ein großer Dramatiker.

Benn, von Haus aus Kleinbürger, von Beruf Arzt, hat – läßt man sich auf solche Argumentation ein – an praktischer Humanität mehr geleistet als die Gesammelten Dramen des Bertolt Brecht, ohne allerdings jemals damit hausieren zu gehen und sich als Wohltäter der Menschheit beweihräuchern zu lassen. *Ich fülle tagsüber einen Beruf aus, soll ich abends noch eine besondere Tätigkeit für das Weltall entfalten?* (II, 133) *Ich habe es nicht weiter gebracht, etwas anderes zu sein, als ein experimenteller Typ, der einzelne Inhalte und Komplexe zu geschlossenen Formgebilden führt.* (IV, 128) *Ein Bedürfnis, in der Art wie ich zu denken, liegt, soziologisch gesehen, bestimmt nicht vor. Es sind individuelle Versuche, den inneren Strömungen, die in gewisser Weise Strömungen der Zeit sind, Ausdruck zu verleihen. Ich blicke nicht in die Zukunft, meine Gedanken ergreifen und begreifen sich nur als eine regional begrenzte, phänotypische, höchstens drei Jahrzehnte repräsentative Zwangslage einer Generation. Nur keine Ausstrahlungen universalistischer Art!* (IV, 165)

Benn und Brecht: welches humanitäre Engagement enthalten ihre Werke? Von Brecht glaubt man es zu wissen, weil er sich hauptberuflich als Lehrmeister in Weltverbesserung proklamierte – hat sein Werk tatsächlich dahingehend gewirkt? Egal. Brecht, durch peinliche Weihefeiern längst entschärft, wird immer die größere Anhängerschaft haben, er täuscht Aktion vor, liefert Aufbauillusionen, gibt ein gutes Gefühl nach dem Theaterabend: das war mal wieder gesellschaftskritisch, und wir können sagen, wir sind dabei gewesen. Brecht hat als Künstler gewirkt, nicht als Politiker. Das genügt doch. Warum ihn mit mehr befrachten?

Benn verspricht nichts, ruft keine Massen auf, legt lediglich Ergebnisse seiner Zwänge vor, lädt allenfalls zur Besichtigung einer Sackgasse ein. Hätte er sich unter die Veränderer gereiht, sähe seine Lage anders aus. Es dürfte schwerhalten, die sozial- und gesellschaftskritischen Aspekte in der Benn'schen Lyrik zu übersehen: Fürst Kraft, Annonce, Kasino, Außenminister, General, Radio, Monolog. Würde heute jemand mit den »Morgue«-Gedichten starten, wäre das eine Sternstunde engagierter Poesie; es genügt ja bereits, Reizworte wie Spätkapitalismus und Umweltschutz einzuflechten, einige Proteste zu unterschreiben, um sich als engagiert auszuweisen. An sozialkritischem Material hat Benn soviel geliefert wie Brecht. Nur hat Benn sich gefragt, was bewirkt das schon?

Insofern sind diejenigen konsequent, die alle Kunst – nenne sie sich engagiert oder nicht – für faulen Zauber halten, vergeudete Energien im tagespolitischen Kampf, Ballast auf dem langen Marsch zur befreiten Gesellschaft.

Sie wollen alles befreien und humanisieren und die Lebensqualität verbessern – und wollen dazu die einspannen, die dadurch ein Stück befreite Gesellschaft verwirklichen, daß sie sich von keinem einspannen lassen.

Denn Kunst, engagierte oder reine, zeugt durch ihre bloße Existenz für Humanismus.

Von der Nützlichkeit

Es gehört heute zum Feuilleton, den einzelnen als deformiertes Produkt seiner Gesellschaft hinzustellen. Der Mensch wäre gut, wenn die Gesellschaft gut wäre, aber die ist schlecht. Vielleicht ist aber die Qualität einer Gemeinschaft nur die Summe der Qualitäten ihrer Individuen? Vielleicht haben die Menschen ihre politischen Systeme nur nach ihren inneren Distorsionen errichtet? Ist der Mensch schlecht, weil die Gesellschaft schlecht ist, oder die Gesellschaft schlecht, weil der Mensch schlecht ist? Bekanntlich harrt die Frage, was zuerst da war, das Huhn oder das Ei, noch der Lösung. Aber die soziologische Wissenschaft hat die gesellschaftliche Frage gelöst: verändere die ökonomische Basis, und siehe, es wird alles gut. Aber einstweilen: alle Mann ans Fließband, auf in die Produktionsschlacht. An schwachsinnigem Arbeitsethos steht der Sozialismus, jedenfalls wie er sich bis jetzt verwirklicht hat, dem Kapitalismus in nichts nach. *Hat es überhaupt noch eine historische Bedeutung, den Abendländer mit Spritzen, Salben, Bruchbändern und nun auch mit Suggestionsmethoden körperlich zu sanieren, wenn sein Hintergrund doch nur dieselbe verrottete Ideologie des Nützlichkeitspositivismus, dieselbe abgetakelte, hilflose, leergelaufene Hymnologie auf den von der Wiege bis zur Bahre mit Nasenduschen und Nährklistieren hochgepäppelten Fortschrittsfavoriten immer blieb?* (I, 147)

Handeln, politisch werden, dafür oder dagegen angehen, sich engagieren – ob reaktionär, reformistisch oder revolutionär – heißt mitmachen, mitmischen, pragmatisch werden, Möglichkeiten nutzen.

Diese Wirtschaftslage, wo das Gemüse zuerst vergiftet wird, um höhere Ernteraten zu erzielen und dann auf dem Kompost landet, um höhere Profitraten zu erzielen; die Emsigkeit, Ramschproduktion zu steigern; Stechuhren; Erfolgsbräune; Teppich im besseren Büro; das Sportcoupé métallisée in der Tiefgarage – dafür gibt es gar keine Entschuldigung, das läßt sich nicht mit einer erst neulich vermurksten Gesellschaft erklären, die hat höchstens die Kostüme gewechselt, das liegt an den vermurksten Akteuren selbst.

Die Wertnormierung und -nominierung der politischen Geschichtsschreibung ist grundsätzlich pervers. »Wirtschaftliche Blüte«, Klartext: alle haben geschuftet wie die Hamster im Rad; »Festigung der Republik«: wer die Schnauze aufmacht kriegt eins rein; »größte Ausdehnung der Macht«: der Haufe unter Waffen; »große Revolution«: die Guillotine klappert. *»Was fruchtbar ist, allein ist wahr« – das legten sie sich so aus, die Eierstöcke sind die größten Philosophen.* (II, 216) Hingegen »Niedergang«: individueller Spielraum; »Dekadenz«: Differenzierung des Intellekts und der Sensibilität; »Krise«: Muße.

Es gibt nur eine Weise des Protestes, und die ist individuell: sich entziehen, aussteigen.

Wenn die Kunst einen Nutzen hat, dann, im Sinne des allgemeinen Nützlichkeitswahns nutzlos zu sein. Die Wissenschaft hat sich vor den Karren der Pragmatiker schirren lassen. Die einzige Gegenwelt ist die Kunst. Anstatt nun mit Zähnen und Klauen diese Gegenwelt festzuhalten, beginnt die Kunst sich ihrer Nutzlosigkeit zu schämen, und will nützlich werden, politisch werden, aufzeigen, verbessern. Alas, das alles kann sie nur, wenn sie nutzlos bleibt.

Gottfried Benns »Engagement« bestand darin, daß er nicht mitmachte, die Gegenwelten nicht zu verkleistern suchte, sondern Kunst machte, nur Kunst, reine Kunst, so rein, wie Kunst sein kann.

Untätigkeit, das war, wenn ich es so ausdrücken darf, in der Tat mein Ideal. Untätigkeit im allgemeinen Sinn: Kein Büro, kein pünktlicher Dienstbeginn, keine Bezugszeichen links oben auf den Akten. Keineswegs durch die Natur schweifen, ich war kein Rutengänger und Steppenwolf, mehr ein Sichauslegen mit Wurm und Angel, etwas anbeißen lassen, Eindrücke, Träume – die große Vergeudung der Stunden. Daß Goethe und Hamsun die körperliche Arbeit als letzte Weisheit priesen, schien mir nicht besonders verbindlich in Anbetracht dessen, daß sie persönlich ihre siebzig Jahre lang sämtliche irdischen und überirdischen Dämonen an allen ihnen zur Verfügung stehenden Drüsenfeldern und Ausführungsgängen mit Hexenmilch gelabt hatten, nun wollten sie zum Schluß ihren Zwieback nochmal in der Laube vespern. (II, 134)

Die Pragmatiker und Politiker, denen sich Künstler anbiedern zu müssen glauben, die finden das sowieso nur lächerlich und lästig. Oder glaubt Arno Schmidt im Ernst, daß der Arbeitsaufwand, den er auf Zettels Traum verwandt hat, von irgendeinem mittleren Abteilungsleiter – sagen wir in der Textilindustrie – als nützliche Arbeit angesehen würde?

Die wirkliche kunst- und lebensfähige Größe einer Leistungsgesellschaft bemißt sich daran, wieviele Asoziale, Arbeitsscheue,

Penner, Gammler, Hippies und – Künstler sie sich leistet. Der offensichtliche Leistungsverfall ist die offensichtliche Folge des Leistungsprinzips, in dem es nicht um Leistung geht, sondern deren Akzidenz: Erfolg und Profit. Leistung entsteht aber nur aus Passion und Muße. Bewußtseinserweiterung, Allotria, Erkenntnis, Vergnügen, Amok, Artistik ist die entscheidende soziale Aufgabe der Kunst.

Und da wir gerade beim »Verschleudern von Steuergeldern« sind: Soviel wie an Starfightern in Schall und Wahn draufgeht, können Demonstranten gar nicht kaputtschmeißen.

Big Benn Revisited. Ein Rahmenrichtlinien-Interview für den Unterrichtungsgebrauch

Was ist Kunst?
Kein Mittel gegen Räude, sondern die Erklärung des Menschen. (II, 135) *Schönheit ist ein menschliches Faktum, genau wie Stundenlohnerhöhung oder Klassenkampf, nicht weniger real.* (IV, 207)

Wie ist die Wirkung der Kunst?
Kunst hat keine geschichtlichen Ansatzkräfte, ihre Wirkung geht auf die Gene, die Substanz – ein langer innerer Weg. Das Wesen der Kunst ist unendliche Zurückhaltung, zertrümmernd ihr Kern, aber schmal ihre Peripherie, sie berührt nicht viel, das aber glühend. Existentielle Gründe sind keine kausalen, verpflichten niemanden, sie gelten nur für den, in dem sie sich als Tatsächlichkeiten erweisen. Sie sind nicht übertragbar, auch nicht nachprüfbar, sie suchen sich ihre Legitimation in der Ununterdrückbarkeit der Ausdruckswelt. (IV, 129)

Gibt es soziale Voraussetzungen für das Genie?
Genie – sonderbar als Wort, Vorstellung und Tatsache in einer Zeit, die mit allen ihr gegebenen Talenten und Machtmitteln den Begriff des Durchschnitts, der Norm schützend umgibt. (I, 84)

– Seine Größe besteht darin, daß er keine sozialen Vorausset-
zungen findet. (I, 76)

Hat Kunst überhaupt etwas mit Politik zu tun?
Erhielte sich ein Staat durch Straßenbeleuchtung und Kanalan-
lage, wäre Rom nie untergegangen –: immanente geistige
Kraft wird es wohl sein, die den Staat erhält, produktive Sub-
stanz aus dem Dunkel des Irrationalen. Und hier könnte die
Stelle sein, wo es politisch wird. (I, 47)

Aber Irrationalismus führt zum Faschismus, heißt es . . .
Wessen geistiges Fundament man nicht erfassen kann, den de-
nunziert man politisch. Armselige, stumpfe Gehirne, die schon
die Diskussion des Irrationalen nicht mehr scheiden können von
den geistigen Schwammigkeiten des parteimäßig organisierten
Somnambulismus. (IV, 233)

Wann wurde der Geist politisch?
Als der deutsche Idealismus vordrang, nach dem alles Wirkliche
vernünftig war, also auch Kriege Erscheinung und Ausdruck
des Weltgeistes wurden. Kritik wurde Blasphemie am Welt-
geist. Darwin verlieh den kämpfenden Haufen naturwissen-
schaftliche Fahnenbänder: Kampf ums Dasein – Auslese der
Starken . . . nun trat der Parademarsch neben den Satz vom
Grunde. »Das Leben«, »Die Wirklichkeit«, »Der Starke« –
identisch gesetzt mit Vernunft, in Durchdringung miteinander
als »Gesetz«, »Geschichte« zu idealistischer Philosophie, natur-
wissenschaftlichem Axiom, dithyrambischer Sonnen- und Glet-
schervision erhoben: Hegel, Darwin, Nietzsche –: sie wurden
tatsächliche Todesursachen von vielen Millionen. Gedanken tö-
ten, Worte sind verbrecherischer als irgendein Mord. (I, 384)

Wie kann man bei solchen Erkenntnissen politisch handlungslos
bleiben?
Politische Apathie wird verurteilt, aber politische Handlungen
sind nur möglich unter Macht- und Expansionsaspekten. (IV,

85) *Handeln ist Kapitalismus, Rüstungsindustrie. Niemand kann die Geschichte mehr anders sehen denn als die Begründung von Massenmorden: Raub und Verklärung, das ist der Mechanismus der Macht. Alles Rom, alles Rubikon! Die Fresse von Cäsaren und das Gehirn von Troglodyten, das ist ihr Typ! – Siege und Unsiege, Wille und Macht, was für Aufdrucke für diese Bouillonwürfel! Auf dem Tisch gratis Kolonialwaren und unter dem Tisch angeeignete Perserteppiche: das ist das Tatsächliche der Geschichte. Was sie zerstört, sind meistens Tempel, und was sie raubt, ist immer Kunst.* (II, 138)

Wie soll man da leben?
Man soll ja auch nicht. (IV, 11) *Klubs debattieren über die verzweifelte Lage – überall ein Kaninchengedränge von Analysen und Prognosen. Können Sie es da einem verdenken, wenn er sagt: schön, alles in Ordnung, muß wahrscheinlich alles so sein, aber bitte ohne mich, für die kurze Spanne meiner Tage bitte ohne mich, ich kenne nämlich eine Sphäre, die ohne diese Art von Beweglichkeit ist, eine Sphäre, die ruht, die nie aufgehoben werden kann, die abschließt: die ästhetische Sphäre.* (IV, 158) *Innerhalb des allgemeinen europäischen Nihilismus aller Werte, erblicke ich keine andere Transzendenz als die Transzendenz der schöpferischen Lust.* (IV, 235)

Keine Transzendenz der Religion?
Würden Sie mich fragen: glauben Sie, würde ich sagen, glauben trennt mich schon von der Grundsubstanz meines Auftrags und meiner Bindung, welcher Art dieser Auftrag und diese Bindung ist, ist mir dunkler als je. Ich finde Gebet und Demut arrogant und anspruchsvoll, es setzt ja voraus, daß ich überhaupt etwas bin, aber gerade das bezweifle ich, es geht nur etwas durch mich hindurch ... Dieses Große Wesen – ein Thema für sich! Man überlege doch einmal, was es alles mit uns angerichtet hat, es hat mich doch keineswegs so reich beschenkt, daß ich mich durchfände – soll ich da plötzlich an entscheidender Stelle demütig werden und sagen, das war ja alles nicht so schlimm gemeint? (IV, 160)

Und die Transzendenz der Philosophen?

Diese Denker mit ihrem Seinsgrund, den niemand sieht, völlig gestaltlos, alles nur Beiträge, Beiträgler – sie drehen die Leitung auf, meistens kommt dann etwas Plato heraus, dann duschen sie ein bißchen herum, und dann tritt der nächste in die Wanne. Keiner macht etwas fertig. Ich muß meine Sachen fertig machen. (I, 573) Die Philosophen fühlen, daß es mit dem diskursiven systematischen Denken im Augenblick zu Ende ist, das Bewußtsein erträgt im Augenblick nur etwas, das in Bruchstücken denkt, die Betrachtungen von fünfhundert Seiten über Wahrheit, so treffend einige Sätze sein mögen, werden aufgewogen von einem dreistrophigen Gedicht – dies leise Erdbeben fühlen die Philosophen, aber das Verhältnis zum Wort ist bei ihnen gestört oder nie lebendig gewesen, darum wurden sie Philosophen, aber im Grunde möchten sie dichten – alles möchte dichten. (I, 528)

Warum dichtet denn dann nicht alles?

Das Verhältnis zum Wort ist primär, diese Beziehung kann man nicht lernen. Sie können Äquilibristik lernen, Seiltanzen, Balanceakt, auf Nägeln laufen, aber das Wort faszinierend ansetzen, das können Sie, oder das können Sie nicht. (I, 510)

Wird das ›faszinierende Wort‹ durch bestimmte Stoffe, Inhalte bedingt?

Wenn der Mann danach ist, kann der erste Vers aus dem Kursbuch sein und der zweite eine Gesangbuchstrophe und der dritte ein Mikoschwitz und das Ganze ist doch ein Gedicht. Und wenn der Mann nicht danach ist, dann können die Ehegatten ihre Frauen und die Mütter ihre Söhne und die Enkel ihre Großtanten im Lehnstuhl oder im Abendfrieden vielstrophig anreimen und selbst der Laie wird bald merken, daß das keine Lyrik mehr ist. (IV, 164)

Geht das gegen jede Trivialliteratur?

Ein Schlager von Klasse enthält mehr Jahrhundert als eine Motette. (I, 518)

Was bleibt als Maßstab, nur noch das Interessante?
Interessant – das ist ein wichtiges Wort! Interessant – das führt nicht in diese undurchsichtige quälende familiäre »Tiefe«, nicht sofort zu den »Müttern«, diesem beliebten deutschen Aufenthalt. Nach meiner Theorie müssen Sie Verblüffendes machen, bei dem Sie am Schluß selber lachen. Scharlatan – das ist kein schlimmes Wort, es gibt schlimmere: historisch und grundsuppig. (IV, 164)

Form, Ausdruck, Artistik – Was drückt denn der Ausdruck aus? wird gefragt. Was transportiert er? Erhebt er? oder einfältig: gibt es das denn: reine Form?
Stimmung und Gesinnung sind die Eckpfeiler der kleinbürgerlichen Poesie. (I, 420) *Die Kunst in Deutschland, immer nur achtzehntes Jahrhundert: Vorstufe der Wissenschaft, Erkenntnismöglichkeit zweiten Ranges, niedere sinnliche Anschauung des reinen Begriffs. Hier ist man nicht für Formen, für Konturen, Plastizität, hier muß alles fließen, Heraklit der erste Deutsche, Plato der zweite Deutsche, alles Hegelianer.* (I, 411)
Der große Dichter ist ein großer Realist, sehr nahe allen Wirklichkeiten – er belädt sich mit allen Wirklichkeiten. (I, 505)
Hinter einem modernen Gedicht stehen die Probleme der Zeit, der Kunst, der inneren Grundlagen unserer Existenz. (I, 501)
Aber Lyrik wird daraus nur, wenn es in eine Form gerät, die diesen Inhalt autochthon macht, ihn trägt, aus ihm mit Worten Faszination macht. Eine isolierte Form, eine Form an sich, gibt es ja gar nicht. (I, 507)
Kunst ist nicht etwas Geisteswissenschaftliches, sondern etwas Körperliches. (I, 401)

Wie meinen Sie das: »Kunst ist etwas Körperliches«?
Kunst ist nach der einen Seite ihrer Phänomenologie hin ein Befreiungs- und Entspannungsphänomen, ein kathartisches Phänomen, und diese haben die engste Beziehung zu den Organen. Kunst ist ein zentraler und primärer Impuls. (I, 561)

Anscheinend genügt das heute nicht als Erklärung für die Notwendigkeit der Kunst . . .

Der Kampf gegen die Kunst entstand nicht in Rußland und nicht in Berlin. Er geht von Plato bis Tolstoi. Er ging immer von den mittleren Kräften außerhalb, aber auch innerhalb des Künstlers gegen die selteneren. (I, 426) Wer Schriftsteller ist, hat oft die Maler beneidet, sie können Orangen malen und Asphodelen, und niemand wirft ihnen vor, daß sie das soziale Wohnungsproblem nicht hineinverweben, aber an allem Schriftlichen hat offenbar die Gewerkschaft Rechte –: asozial, das ist das Wort: »Die Kunst muß.« Es ist wohl vergeblich, darauf hinzuweisen, daß Flaubert die schmerzliche Lage der Künstler schilderte, die durchaus nicht alles machen können, was sie fühlen und möchten, sondern allein das, was ihnen innerhalb ihres Sprach- und Stilvermögens verliehen war. (I, 574)

Ich könnte heute hinzufügen, daß ich die Kunst für viel radikaler halte als die Politik: in einer Gestalt führt sie eine Gesellschaftsschicht zu Ende, mit einem Satz übergibt sie ein Jahrhundert seinem nächsten Ziel, sie allein, nicht die Politik reicht bis in jene seelischen Schichten hinein, in denen die wirkliche Wandlung der menschlichen Gesellschaft sich vollzieht. (IV, 232)

Zum Schluß noch eine Frage an Sie. Glauben Sie, daß sich unsere geistige Lage durch Rückgriffe, Rückblicke sanieren läßt? Ich persönlich glaube nicht an Restauration. Die geistigen Dinge sind irreversibel, sie gehn den Weg weiter bis ans Ende, sie haben eine Vehemenz, die die der physikalischen Dinge übertrifft. Darum müssen Sie Ihre Gedanken auf das rücksichtsloseste formulieren, immer wieder die Äste absägen, auf denen Sie nisten. (IV, 166)

Ausgewählte Gedichte – Ausgewählte Zitate

Wir befinden uns im Zeitalter der Aphorismen und Anthologien, im Zeitalter der Offerte und des Reizangebots, der Schmackhaftmachung, der Erleichterung der schweren Dinge . . . keiner soll mehr an einer selbstbestellten und selbstbeurteilten

Hauptnahrung herumkauen müssen. Zahnkaries ist ja der stig-
matisierende Defekt der Zeit, also: kleine Bissen, vorgekaut,
weichgekocht – und damit sind wir bei den lyrischen Antholo-
gien. (IV, 338)
Diese Sammlung versteht sich als Reizangebot. Einige von der
Zunft anerkannte Gedichte sind auch hier nochmals aufgegossen
– sie sind von keiner Zunft auszulaugen –, der Nachdruck gehört allerdings den interessanten Beispielen. Auch dieser Zita-
tenverschnitt – *ich kann dies dort verwenden oder hier, ich*
färbe, ich verstricke, ich installiere (I, 576) – hat keine andere
Absicht, als auf ein facettenreiches, widersprüchliches, gefähr-
liches, aber immer kompromißloses Werk zu verweisen. Es gibt
nicht so viele von seiner Sorte, daß man schafsgeduldig hinneh-
men kann, wie sich Probleme als im Stande der Jungfräulichkeit
gerieren und durch Diskussionen nässen, die Formulierungen gefunden haben, die es wenigstens antithetisch aufzunehmen gilt –
mit offenen Armen aufgenommen zu werden, würde mich be-
denklich machen. (Briefe, 149) Lösungen vermissen, hieße einem
Botaniker vorwerfen, er liefere keine Rezepte für schmackhafte
vegetarische Kost.
Kant – »kategorischer Imperativ«; Nietzsche – »Gehst du
zum Weibe«; Benn – der mit den Nazis. So einfach geht das.
Sowenig es genügt, Gesinnung vorzuweisen, genügt es, unter
Berufung auf Gesinnung ein Werk zu diffamieren. Wer weiß
schon, daß es bei Benn einen argumentativ souveränen Essay gegen den § 218 gibt? Oder ein Plädoyer für die Bewußtseiner-
weiterung durch Drogen? Der Entlarver der Geschichte war ein
präziser Kenner der Geschichte; der Wissenschaftler hat die Wissenschaft auf ihre Bütteldienste verwiesen und die Poesiefähig-
keit des wissenschaftlichen Jargons bewiesen; er hat scheinbar
Entlegenstes hart nebeneinander gesetzt, in einen Satz zusam-
mengezwungen, mit Analysen Ekstasen kalkuliert – *summari-*
schen Überblicken, Überblättern schafft manchmal einen leich-
ten Rausch. (II, 171) Man überlasse ihn nicht der konserva-
tiven Kamarilla von Rychner bis Holthusen. Allerdings, wenn
Benn Kunst sagt, dann meint er Kunst und nicht Kultur, nicht

Humanität, nicht Moral, nicht Politik, nicht Engagement, nicht die Drogenfrage und nicht die Fristenlösung. Sicher, das hat was miteinander zu tun, alles hat irgendwie miteinander zu tun, *es west alles in allem: die Tomate in der Schmalzstulle und der Registrator in der Klapperschlange ... es ist genauso sinnvoll, als wenn man von einem Hecht sagte, der einen halben Meter lang ist, enthält jeder fünfzigste Teil einen Zentimeter Fisch.* (I, 398)

Für Kritik und Anregung bei der Gedichtauswahl danke ich Jörg Drews, Antje Friedrichs, Andreas Kissling und Marguerite Schlüter.
Die Benn-Zitate – kursiv gesetzt – sind aus heterogensten Prosastücken montiert, im Wortlaut unverändert, aber zumeist stark verkürzt, ohne daß dies wissenschaftlich korrekt durch Auslassungszeichen markiert wurde. Für die, die das Ausmaß der Manipulation überprüfen wollen – und damit wäre eine beabsichtigte Wirkung erreicht –, sind die Quellen jeweils nach Band und Seitenzahl der vierbändigen Gesamtausgabe im Limes Verlag, 1959–1961, angegeben.
Für Anna Livia   *Gerd Haffmans*

Haffmans' Erzählungen
im Diogenes Verlag

Oscar Wilde
Die Sphinx ohne Geheimnis
Sämtliche Erzählungen sowie 35 philosophische Leitsätze
zum Gebrauch für die Jugend.
Mit Zeichnungen von Aubrey Beardsley und einem
Versuch über Oscar Wilde. (1970)

James Abbott McNeill Whistler
Die vornehme Kunst sich Feinde zu machen
Die ›Zehn-Uhr-Vortrag‹ und die Einwände von Oscar Wilde
und G.K. Chesterton. Mit 3 Porträtzeichnungen von Leslie Ward,
Aubrey Beardsley und Max Beerboom und einem *Vorwort.*
detebe 34 (1972)

Das Diogenes Lesebuch
Ein literarischer Almanach. Ein Querschnitt durch das
Diogenes-Programm 1953–1973. Mit einem *Vorwort.*
detebe 58 (1973)

Über William Faulkner
Essays und Zeugnisse von Jean-Paul Sartre bis Gottfried Benn.
Mit Aufsätzen und Zeichnungen von – und einem Interview
mit Faulkner. Dazu Chronik und Bibliographie. detebe 54 (1973)

Gottfried Benn
Ausgewählte Gedichte
Mit einem Frontispiz von George Grosz und einem Nachwort:
Gottfried Benn oder die Verteidigung des Elfenbeinturms.
detebe 56 (1973)

Über Alfred Andersch
Essays und Zeugnisse von Thomas Mann bis Arno Schmidt.
Mit Lebensdaten, Bibliographie der Werke und Auswahlbibliographie
der Kritik. Zusammen mit Rémy Charbon. detebe 53 (1974)
Veränderte und erweiterte Neuausgabe, mit revidierter und ergänzter
Bibliographie. Zusammen mit Franz Cavigelli. detebe 20819 (1980)

Über Carson McCullers
Essays, Erinnerungen und Notizen von Carson McCullers,
Essays, Aufsätze und Rezensionen über Carson McCullers
von Richard Wright bis Hans Magnus Enzensberger.
detebe 20/VIII (1974)

Das Tintenfaß
Ein Diogenes Taschenbuch für Literatur und Grafik. 10. Jahrgang,
24. Folge. Zusammen mit Daniel Keel. detebe 83 (1974)

Weltuntergangsgeschichten
von Edgar Poe bis Arno Schmidt. Zusammen mit anderen Mitgliedern
des Katastrophen-Kollektivs (1975)
Vermehrte Neuausgabe. detebe 20806 (1981)

Das Tintenfaß
Ein Diogenes Taschenbuch für Literatur und Grafik. 11. Jahrgang,
25. Folge. Zusammen mit Daniel Keel. detebe 100 (1975)

Das Diogenes Lesebuch amerikanischer Erzähler
Geschichten von Washington Irving bis Harold Brodkey.
Mit Chronik und Bio-Bibliographie. detebe 117 (1976)

Das Diogenes Lesebuch englischer Erzähler
Geschichten von Wilkie Collins bis Alan Sillitoe.
Mit Chronik und Bio-Bibliographie. detebe 118 (1976)

Das Diogenes Lesebuch irischer Erzähler
Geschichten von Oscar Wilde über James Joyce bis John Montague.
Mit Chronik und Bio-Bibliographie. detebe 119 (1976)

Das Tintenfaß
Ein Diogenes Taschenbuch für Literatur und Grafik.
12. Jahrgang, 26. Folge. Zusammen mit Daniel Keel. Mit einem
Aufsatz über die Aktualität Schopenhauers:
Die Kritik der korrupten Vernunft. detebe 122 (1976)

Arthur Schopenhauer
Zürcher Ausgabe
Werke in zehn Bänden nach der historisch-kritischen Ausgabe von
Arthur Hübscher, editorische Materialien von Angelika Hübscher.
Gesamtredaktion zusammen mit Fritz Senn und
Claudia Henn-Schmölders. detebe 140/I-X (1977)

Über Arthur Schopenhauer
Essays und Zeugnisse von Jean Paul bis Hans Wollschläger.
Mit Chronik und Bibliographie. detebe 153 (1977)
Vermehrte und verbesserte Neuauflage (1978)
Erneut vermehrte und verbesserte Neuausgabe. detebe 20431 (1981)

Thomas Mann
Der Bajazzo
Ausgewählte Erzählungen. Mit einer *Nachbemerkung über
Thomas Mann, den Ruhm und den Rang*. detebe 168 (1978)

Das zynische Wörterbuch
Ein Alphabet harter Wahrheiten. Zusammen mit dem federführenden
Jörg Drews. detebe 168 (1978)
Bereicherte Neuausgabe. detebe 20588 (1981)

Das Alfred Andersch Lesebuch
Ein Querschnitt durch das Werk, mit vorher unveröffentlichten oder
lang vergriffenen Texten, Chronik, Bibliographie und
editorischer Notiz *Zu dieser Auswahl*. detebe 205 (1979)

Gustave Flaubert
Werke und Briefe
in sieben Bänden. Gesamtredaktion zusammen mit Franz Cavigelli.
detebe 210/I–VI (Werke) und 143 (Briefe) (1979)

Über Gustave Flaubert
Essays und Zeugnisse von Guy de Maupassant bis Thomas Mann.
Mit Chronik, Bildteil und Bibliographie. Zusammen mit
Franz Cavigelli, detebe 211 (1979)
Verbesserte und ergänzte Neuausgabe. detebe 20726 (1980)

Über Eric Ambler
Essays und Zeugnisse von Alfred Hitchcock bis Helmut Heißenbüttel.
Mit Chronik, Bildteil und Bibliographie. Zusammen mit
Franz Cavigelli. detebe 187 (1979)

Das Diogenes Lesebuch
klassischer deutscher Erzähler
in drei Bänden. Jeder mit Chronik und Bio-Bibliographie.
Zusammen mit Christian Strich. detebe 208/1–3 (1980)

Das Diogenes Lesebuch
moderner deutscher Erzähler
in zwei Bänden. Jeder mit Chronik und Bio-Bibliographie;
am Schluß eine kleine Schmähschrift
Über die Verhunzung der deutschen Literatur im Deutschunterricht.
Zusammen mit Christian Strich. detebe 208/4–5 (1980)

Tintenfaß
Magazin für Kunst in jeder Form. Nr. 1 (Format 21 × 28 cm).
Zusammen mit Daniel Keel (1980)

Tintenfaß
Magazin für Literatur und Kunst – Nummer 2
(Schwerpunkt: deutsche Literatur). Mit einer
Nachbemerkung, die deutsche Literatur betreffend.
detebe 22002 (1981)

Tintenfaß
Magazin für Literatur und Kunst – Nummer 3
(Schwerpunkt: Ferienlektüre). detebe 22003 (1981)

Tintenfaß
Magazin für Literatur und Kunst – Nummer 4
(Schwerpunkt: Lebenshilfe). detebe 22004 (1981)

Das Wilhelm Buch
Bilder- und Lesebuch
Viele Bilderbogen, eine ganze Bildergeschichte und mehrere Briefe
von Busch, Essays von Kurt Tucholsky bis Reiner Zimnik über Busch
sowie zahlreiche Zeugnisse und Hommagen von Robert Gernhardt,
Tatjana Hauptmann, Loriot, Luis Murschetz, Peter Neugebauer,
Hans Traxler und F.K. Waechter. detebe 20391 (1981)

Lyrik im
Diogenes Verlag

● **Alfred Andersch**
empört euch der himmel ist blau
Gedichte und Nachdichtungen 1946–1976

● **Rainer Brambach**
Kneipenlieder
Mit Frank Geerk und Tomi Ungerer. Erheblich erweiterte Neuausgabe.
detebe 20615

Wirf eine Münze auf
Gedichte. Mit einem Nachwort von Hans Bender. detebe 20616

● **Gottfried Benn**
Ausgewählte Gedichte
Herausgegeben und mit einem Nachwort von Gerd Haffmans. detebe 20099

● **Wilhelm Busch**
Gedichte
Herausgegeben, mit Anmerkungen und einem Nachwort von Friedrich Bohne.
detebe 20107

● **Deutsche Liebesgedichte**
Die hundert schönsten deutschen Liebesgedichte von Walther von der Vogelweide bis Gottfried Keller. Ausgewählt von Christian Strich. mini-detebe 79031

● **Heinrich Heine**
Gedichte
Ausgewählt, kommentiert und eingeleitet von Ludwig Marcuse. detebe 20383

● **Juan Ramón Jiménez**
Herz, stirb oder singe
Gedichte, spanisch und deutsch. Auswahl und Übertragung von Hans Leopold Davi. Mit Zeichnungen von Henri Matisse.
detebe 20338

● **Bernhard Lassahn**
Dorn im Ohr
Das Buch der lästigen Liedermacher von Wolf Biermann bis Konstantin Wecker. Herausgegeben und kommentiert von Bernhard Lassahn. detebe 20617

● **Moderne deutsche Liebesgedichte**
Von Stefan George bis zur Gegenwart. Herausgegeben von Rainer Brambach.
detebe 20777

● **Christian Morgenstern**
Alle Galgenlieder
detebe 20400

● **William Shakespeare**
Sonette
Nachdichtung von Karl Kraus. Mit einem Aufsatz aus der ›Fackel‹: ›Sakrileg an George oder Sühne an Shakespeare?‹ detebe 20381

Lesebücher
im Diogenes Verlag

Das Diogenes Lesebuch klassischer deutscher Erzähler
in drei Bänden: I. von Wieland bis Kleist, II. von Grimm bis Hauff, III. von Mörike bis Busch. Herausgegeben von Christian Strich und Fritz Eicken. detebe 20727, 20728, 20669

Das Diogenes Lesebuch moderner deutscher Erzähler
in zwei Bänden: I. von Schnitzler bis Kästner, II. von Andersch bis Urs Widmer. Herausgegeben von Christian Strich und Fritz Eicken. detebe 20782 und 20776

Das Diogenes Lesebuch amerikanischer Erzähler
Geschichten von Washington Irving bis Harold Brodkey. Bio-Bibliographie der Autoren und Literaturhinweise. Herausgegeben von Gerd Haffmans. detebe 20271

Das Diogenes Lesebuch englischer Erzähler
Geschichten von Wilkie Collins bis Alan Sillitoe. Bio-Bibliographie der Autoren und Literaturhinweise. Herausgegeben von Gerd Haffmans. detebe 20272

Das Diogenes Lesebuch irischer Erzähler
Geschichten von Joseph Sheridan Le Fanu bis Edna O'Brien. Bio-Bibliographie der Autoren und Literaturhinweise. Herausgegeben von Gerd Haffmans. detebe 20273

Das Diogenes Lesebuch deutscher Balladen
von Bürger bis Brecht. Herausgegeben von Christian Strich. detebe 20923

Das Diogenes Lesebuch französischer Erzähler
von Stendhal bis Simenon. Herausgegeben von Anne Schmucke und Gerda Lheureux. detebe 20304

Das Alfred Andersch Lesebuch
Herausgegeben von Gerd Haffmans. detebe 20695

Das Wilhelm Busch Bilder- und Lesebuch
Ein Querschnitt durch sein Werk, dazu Essays und Zeugnisse sowie Chronik und Bibliographie. Herausgegeben von Gerd Haffmans. detebe 20391

Das Erich Kästner Lesebuch
Herausgegeben von Christian Strich. detebe 20515

Das James Joyce Lesebuch
Auswahl aus ›Dubliner‹, ›Porträt des Künstlers‹ und ›Ulysses‹. Aus dem Englischen von Dieter E. Zimmer, Klaus Reichert und Hans Wollschläger. Mit Aufzeichnungen von Georges Borach und einer Betrachtung von Fritz Senn. detebe 20645

Das Karl Kraus Lesebuch
Herausgegeben und mit einem Nachwort von Hans Wollschläger. detebe 20781

Das George Orwell Lesebuch
Essays, Reportagen, Betrachtungen. Herausgegeben und mit einem Nachwort von Fritz Senn. Deutsch von Tina Richter. detebe 20788

Das Georges Simenon Lesebuch
Herausgegeben von Daniel Keel. detebe 20500

Das Tomi Ungerer Bilder- und Lesebuch
Mit Beiträgen von Erich Fromm bis Walther Killy. Zahlreiche Zeichnungen. Chronik und Bibliographie. Herausgegeben von Daniel Keel. detebe 20487

Das Urs Widmer Lesebuch
Herausgegeben von Thomas Bodmer. Vorwort von H. C. Artmann. Nachwort von Hanns Grössel. detebe 20783

Neue deutsche Literatur
im Diogenes Verlag

● Alfred Andersch
Die Kirschen der Freiheit. Bericht.
detebe 20001
Sansibar oder der letzte Grund. Roman.
detebe 20055
Hörspiele. detebe 20095
Geister und Leute. Geschichten.
detebe 20158
Die Rote. Roman. detebe 20160
Ein Liebhaber des Halbschattens.
Erzählungen. detebe 20159
Efraim. Roman. detebe 20285
Mein Verschwinden in Providence.
Erzählungen. detebe 20591
Winterspelt. Roman. detebe 20397
Der Vater eines Mörders. Erzählung.
detebe 20498
Aus einem römischen Winter. Reisebilder.
detebe 20592
Die Blindheit des Kunstwerks. Essays.
detebe 20593
Ein neuer Scheiterhaufen für alte Ketzer.
Kritiken. detebe 20594
*Öffentlicher Brief an einen sowjetischen
Schriftsteller, das Überholte betreffend*.
Essays. detebe 20398
Neue Hörspiele. detebe 20595
Einige Zeichnungen. Graphische Thesen.
detebe 20399
empört euch der himmel ist blau. Gedichte
Wanderungen im Norden. Reisebericht
*Hohe Breitengrade oder Nachrichten von der
Grenze*. Reisebericht
Flucht in Etrurien. 3 Erzählungen aus dem
Nachlaß
Das Alfred Andersch Lesebuch. detebe 20695

Als Ergänzungsband liegt vor:
Über Alfred Andersch. detebe 20819

● Rainer Brambach
Wirf eine Münze auf. Gedichte. Nachwort
von Hans Bender. detebe 20616
Kneipenlieder. Mit Frank Geerk und Tomi
Ungerer. Erweiterte Neuausgabe. detebe
20615
Für sechs Tassen Kaffee. Erzählungen.
detebe 20530
Moderne deutsche Liebesgedichte. (Hrsg.)
Von Stefan George bis zur Gegenwart.
detebe 20777

● Karlheinz Braun und
Peter Iden (Hrsg.)
Neues deutsches Theater. Stücke von
Handke bis Wondratschek.
detebe 20018

● Manfred von Conta
Reportagen aus Lateinamerika

● Friedrich Dürrenmatt
Das dramatische Werk:
Es steht geschrieben / Der Blinde. Frühe
Stücke. detebe 20831
Romulus der Große. Ungeschichtliche
historische Komödie. Fassung 1980.
detebe 20832
Die Ehe des Herrn Mississippi. Komödie und
Drehbuch. Fassung 1980. detebe 20833
Ein Engel kommt nach Babylon.
Fragmentarische Komödie. Fassung 1980.
detebe 20834
Der Besuch der alten Dame. Tragische
Komödie. Fassung 1980. detebe 20835
Frank der Fünfte. Komödie einer
Privatbank. Fassung 1980. detebe 20836
Die Physiker. Komödie. Fassung 1980.
detebe 20837
*Herkules und der Stall des Augias
Der Prozeß um des Esels Schatten*.
Griechische Stücke. Fassung 1980.
detebe 20838
Der Meteor / Dichterdämmerung.
Nobelpreisträgerstücke. Fassung 1980.
detebe 20839
Die Wiedertäufer. Komödie.
Fassung 1980. detebe 20840
König Johann / Titus Andronicus.
Shakespeare-Umarbeitungen. detebe 20841
Play Strindberg / Porträt eines Planeten.
Übungsstücke für Schauspieler.
detebe 20842
Urfaust / Woyzeck. Bearbeitungen.
detebe 20843
Der Mitmacher. Ein Komplex.
detebe 20844
Die Frist. Komödie. Fassung 1980.
detebe 20845
Die Panne. Hörspiel und Komödie.
detebe 20846
*Nächtliches Gespräch mit einem
verachteten Menschen / Stranitzky und der
Nationalheld / Das Unternehmen der
Wega*. Hörspiele. detebe 20847

Das Prosawerk:
Aus den Papieren eines Wärters. Frühe Prosa.
detebe 20848
Der Richter und sein Henker / Der Verdacht.
Kriminalromane. detebe 20849
Der Hund / Der Tunnel / Die Panne.
Erzählungen. detebe 20850
*Grieche sucht Griechin / Mr. X macht
Ferien.* Grotesken. detebe 20851
*Das Versprechen / Aufenthalt in einer kleinen
Stadt.* Erzählungen. detebe 20852
Der Sturz. Erzählungen. detebe 20854
Theater. Essays, Gedichte und Reden.
detebe 20855
Kritik. Kritiken und Zeichnungen.
detebe 20856
Literatur und Kunst. Essays, Gedichte und
Reden. detebe 20857
Philosophie und Naturwissenschaft. Essays,
Gedichte und Reden. detebe 20858
Politik. Essays, Gedichte und Reden.
detebe 20859
Zusammenhänge / Nachgedanken. Essay
über Israel. detebe 20860

Als Ergänzungsband liegt vor:
Über Friedrich Dürrenmatt. detebe 20861

Stoffe I–III. Winterkrieg in Tibet. Mondfinsternis. Der Rebell.

● **Herbert Eisenreich**
Die Freunde meiner Frau. Erzählungen.
detebe 20557

● **Heidi Frommann**
Innerlich und außer sich. Bericht aus der
Studienzeit
*Die Tante verschmachtet im Genuß nach Be-
gierde.* Zehn Geschichten

● **Eckhard Henscheid /
  F.W. Bernstein (Hrsg.)**
Unser Goethe. Lesebuch. Zahlreiche Bildta-
feln und Notenbeispiele

● **Wolfgang Hildesheimer**
Ich trage eine Eule nach Athen. Erzählungen.
Zeichnungen von Paul Flora. detebe 20529

● **Otto Jägersberg**
Cosa Nostra. Stücke. detebe 20022
Weihrauch und Pumpernickel. Ein west-
fälisches Sittenbild. detebe 20194
Nette Leute. Roman. detebe 20220
Der letzte Biß. Erzählungen. detebe 20698
Land. Ein Lehrstück. detebe 20551

Seniorenschweiz. Ein Lehrstück.
detebe 20553
Der industrialisierte Romantiker. Ein
Lehrstück. detebe 20554

● **Hermann Kinder**
Der Schleiftrog. Roman. detebe 20697
Du mußt nur die Laufrichtung ändern.
Erzählung. detebe 20578
Vom Schweinemut der Zeit. Roman
Der helle Wahn. Roman

● **Bernhard Lassahn**
Land mit lila Kühen. Roman
*Dorn im Ohr. Das Buch der lästigen Lieder-
macher von Wolf Biermann bis Konstantin
Wecker.* Herausgegeben und kommentiert
von Bernhard Lassahn. detebe 20617

● **Jürgen Lodemann**
Der Solljunge oder Ich unter den anderen.
Roman
*Anita Drögemöller und Die Ruhe an der
Ruhr.* Roman. detebe 20283
Lynch und Das Glück im Mittelalter.
Roman. detebe 20798
Familien-Ferien im Wilden Westen. Ein Rei-
setagebuch. detebe 20577
Im Deutschen Urwald. Essays, Aufsätze, Er-
zählungen

● **Mani Matter**
Sudelhefte & Rumpelbuch
Tagebuchnotizen, Geschichten, Gedichte.
detebe 20618

● **Fanny Morweiser**
Lalu lalula, arme kleine Ophelia.
Erzählung. detebe 20608
La vie en rose. Roman. detebe 20609
Indianer-Leo. Geschichten. detebe 20799
Die Kürbisdame. Kleinstadt-Trilogie.
detebe 20758
Ein Sommer in Davids Haus. Roman

● **Walter E. Richartz**
Meine vielversprechenden Aussichten.
Erzählungen
Prüfungen eines braven Sohnes. Erzählung
Der Aussteiger. Prosa
Reiters Westliche Wissenschaft. Roman
Tod den Ärtzten. Roman. detebe 20795
Noface – Nimm was du brauchst. Roman.
detebe 20796
Büroroman. detebe 20574
Das Leben als Umweg. Erzählungen.
detebe 20281
Shakespeare's Geschichten. detebe 20791
Vorwärts ins Paradies. Essays. detebe 20696

Deutsche Klassiker
im Diogenes Verlag

● **Ulrich Bräker**
Gesammelte Werke in 2 Bänden
Herausgegeben von Samuel Voellmy und
Heinz Weder. Vorwort von Hans Mayer.
detebe 20581–20582

● **Wilhelm Busch**
*Schöne Studienausgabe in
7 Bänden*
Herausgegeben von Friedrich Bohne.
detebe 20107–20113

*Das Wilhelm Busch Bilder- und
Lesebuch*
Ein Querschnitt durch das Werk. Herausge-
geben von Gerd Haffmans. detebe 20391

● **Meister Eckehart**
Deutsche Predigten und Traktate.
Herausgegeben von Josef Quint.
detebe 20642

● **Goethe**
Gedichte I
detebe 20437

Gedichte II
Gedankenlyrik / Westöstlicher Diwan.
detebe 20438

Faust
Der Tragödie erster und zweiter Teil.
detebe 20439

Unser Goethe
Ein Lesebuch. Herausgegeben von Eckhard
Henscheid und F.W. Bernstein

● **Jeremias Gotthelf**
Ausgewählte Werke in 12 Bänden
Herausgegeben von Walter Muschg.
detebe 20561–20572
Als Ergänzungsband liegt vor:
Keller über Gotthelf. detebe 20573

● **Brüder Grimm**
Märchen
Ausgewählt und illustriert von Maurice
Sendak. kunst-detebe 26009

● **Heinrich Heine**
Gedichte
Ausgewählt, eingeleitet und kommentiert
von Ludwig Marcuse. detebe 20383

● **Gottfried Keller**
Zürcher Ausgabe
Gesammelte Werke in 8 Bänden. Herausge-
geben von Gustav Steiner.
detebe 20521–20528
Als Ergänzungsband liegt vor:
Über Gottfried Keller
Herausgegeben von Paul Rilla.
detebe 20535

● **Christian Morgenstern**
Alle Galgenlieder
detebe 20400

● **Arthur Schopenhauer**
Zürcher Ausgabe
Volks- und Studienausgabe in 10 Bänden.
Nach der historisch-kritischen Edition von
Arthur Hübscher. Editorische Materialien
von Angelika Hübscher.
detebe 20421–20430
Als Ergänzungsband liegt vor:
Über Arthur Schopenhauer
Herausgegeben von Gerd Haffmans.
detebe 20431

● **Das Diogenes Lesebuch klassischer deutscher Erzähler**
Band I
Geschichten von Wieland bis Kleist. Mit
einem Nachwort von Arthur Schopenhauer.
detebe 20727

Band II
Geschichten von Eichendorff bis zu den
Brüdern Grimm. Mit einem Nachwort von
Franz Grillparzer. detebe 20728

Band III
Geschichten von Mörike bis Busch. Mit
einem Nachwort von Fritz Mauthner.
detebe 20669

● **Das Diogenes Lesebuch
deutscher Balladen**
von Bürger bis Brecht. Herausgegeben von
Christian Strich. detebe 20923

● **Das Neue Testament**
in 4 Sprachen: Lateinisch, Griechisch,
Deutsch (von Martin Luther) und Englisch.
detebe 20925

Moderne deutsche Klassiker
im Diogenes Verlag

● **Alfred Andersch**
Studienausgabe in 15 Bänden
detebe

Dazu ein Band
Über Alfred Andersch
Herausgegeben von Gerd Haffmans.
detebe 20819

Flucht in Etrurien
3 Erzählungen aus dem Nachlass

Das Alfred Andersch Lesebuch
Herausgegeben von Gerd Haffmans.
detebe 20695

● **Gottfried Benn**
Ausgewählte Gedichte
Herausgegeben und mit einem Nachwort
von Gerd Haffmans. detebe 20099

● **Friedrich Dürrenmatt**
*Das dramatische Werk
in 17 Bänden*
detebe 20831–20847

Das Prosawerk in 12 Bänden
detebe 20848–20860

Dazu ein Band
Über Friedrich Dürrenmatt
Herausgegeben von Daniel Keel.
detebe 20861

Stoffe I–III
Winterkrieg in Tibet. Mondfinsternis.
Der Rebell

● **Hermann Hesse**
Die Fremdenstadt im Süden
Ausgewählte Erzählungen. Zusammenge-
stellt und mit einem Nachwort von Volker
Michels. detebe 20396

● **Das Erich Kästner Lesebuch**
Herausgegeben von Christian Strich.
detebe 20515

● **Das Karl Kraus Lesebuch**
Herausgegeben und mit einem Nachwort
von Hans Wollschläger. detebe 20781

● **Heinrich Mann**
Liebesspiele
Ausgewählte Erzählungen. Mit einem Vorwort von Hugo Loetscher und Zeichnungen
von George Grosz. detebe 20100

● **Thomas Mann**
Der Bajazzo
Ausgewählte Erzählungen. Herausgegeben
und mit einem Nachwort von Gerd Haffmans. detebe 20555

● **Ludwig Marcuse**
*Werk- und Studienausgabe in
bisher 12 Einzelbänden*

● **Fritz Mauthner**
*Wörterbuch der Philosophie in
zwei Bänden*
detebe 20780

● **Arthur Schnitzler**
Spiel im Morgengrauen
Ausgewählte Erzählungen. Herausgegeben
und mit einem Nachwort von Hans Weigel.
detebe 20218

● **B. Traven**
Werkausgabe in Einzelbänden
Einzig berechtigte deutsche Ausgabe, voll-
ständig neu herausgegeben von Edgar Päßler
in Zusammenarbeit mit der Büchergilde Gu-
tenberg, Frankfurt am Main. Bisher 8 Bände

● **Robert Walser**
Der Spaziergang
Ausgewählte Gedichte und Aufsätze. Mit einem Nachwort von Urs Widmer und Zeichnungen von Karl Walser. detebe 20065

Maler, Poet und Dame
Aufsätze über Kunst und Künstler. Heraus-
gegeben von Daniel Keel. Mit zahlreichen
Dichterporträts. detebe 20794

Klassiker
im Diogenes Verlag

● **Angelus Silesius**
Der cherubinische Wandersmann
Auswahl und Einleitung von Erich Brock.
detebe 20644

● **Aristophanes**
Lysistrate
Mit den Illustrationen von Aubrey Beardsley. kunst-detebe 26028

● **Honoré de Balzac**
Die großen Romane
in 10 Bänden. Deutsch von Emil A. Rheinhardt, Otto Flake, Franz Hessel, Paul Zech u.a. detebe 20901–20910

Erzählungen
in 3 Bänden: Pariser Geschichten – Liebesgeschichten – Mystische Geschichten. Deutsch von Otto Flake u.a. detebe 20896, 20897, 20899

● **Charles Baudelaire**
Die Tänzerin Fanfarlo und
Der Spleen von Paris
Sämtliche Prosadichtungen. Deutsch von Walther Küchler. detebe 20387

● **James Boswell**
Dr. Samuel Johnson
Eine Biographie. Deutsch von Fritz Güttinger. detebe 20786

● **Ulrich Bräker**
Leben und Schriften
in 2 Bänden. Herausgegeben von Samuel Voellmy und Heinz Weder.
detebe 20581–20582

● **Wilhelm Busch**
Studienausgabe
in 7 Bänden. Herausgegeben von Friedrich Bohne. detebe 20107–20113

● **Calderón**
Das große Welttheater
Neu übersetzt von Hans Gerd Kübel und Wolfgang Franke. detebe 20888

● **Anton Čechov**
Das erzählende Werk
In der Neuedition von Peter Urban.
detebe 20261–20270

Das dramatische Werk
In der Neuedition und -übersetzung von Peter Urban. detebe.

Briefe – Chronik
Übersetzt und herausgegeben von Peter Urban

● **Das Diogenes Lesebuch klassischer deutscher Erzähler**
Band I:
Geschichten von Wieland bis Kleist.

Band II:
Geschichten von Eichendorff bis zu den Brüdern Grimm.

Band III:
Geschichten von Mörike bis Busch.

Alle drei Bände herausgegeben von Christian Strich und Fritz Eicken. detebe 20727, 20728, 20669

● **Fjodor Dostojewski**
Meistererzählungen
Herausgegeben und übersetzt von Johannes von Guenther. detebe 20951

● **Meister Eckehart**
Deutsche Predigten und Traktate
Herausgegeben von Josef Quint.
detebe 20642

● **Gustave Flaubert**
Werke – Briefe – Materialien
in 8 Bänden. Jeder Band mit einem Anhang zeitgenössischer Rezensionen.
detebe.

Jugendwerke
Erste Erzählungen. Herausgegeben und übersetzt von Traugott König.

November
Jugendwerke II. Herausgegeben und übersetzt von Traugott König.